CALIGRAFÍAS
(EJERCICIOS NARRATIVOS 1960-2005)

vOCES / LITERATURA

COLECCIÓN VOCES / LITERATURA

Fotografía de cubierta: Nelson Garrido
Fotografía de solapa de cubierta: Yafi Nose

Visite nuestro fondo editorial en www.ppespuma.com

Primera edición: septiembre de 2004

ISBN: 84-95642-47-6
Depósito legal: M-40228-2004

© José Balza, 2004
© Del prólogo, Juan Carlos Méndez Guédez, 2004
© De esta portada, maqueta y edición,
Editorial Páginas de Espuma, S. L., 2004
c/Madera 3, 1º izq. 28004 Madrid
Tel.: +34 915 227 251 Fax: +34 915 224 948
E-mail: ppespuma@arrakis.es

Impreso en España, CEE. Printed in Spain.

Composición: equipo editorial
Fotomecánica: FCM
Impresión: Omagraf, S.L.
Encuadernación: Seis S.A.

JOSÉ BALZA

CALIGRAFÍAS
(EJERCICIOS NARRATIVOS 1960-2005)

PÁGINAS DE ESPUMA

ÍNDICE

El cuento que llegó del río

1

El lector que espere encontrar en estas páginas los más fáciles trucos del realismo mágico, las hipérboles exóticas, la épica guerrerista de los «buenos salvajes», las pintorescas enumeraciones que han azotado buena parte de la literatura hispanoamericana de finales del siglo XX debe cerrar de inmediato este libro. Aquí sólo hay escritura en estado puro: invención: fiesta del lenguaje; estilo fragoroso y cambiante; exacerbación de lo reflexivo; sensorialidad inteligente.

Pese a que José Balza nació en plena selva del Delta del Orinoco, que creció hasta los once años desconociendo la luz eléctrica, que vivió hasta el fin de la adolescencia en un mundo poblado por las apariciones sobrecogedoras del río, por los idiomas que se entremezclaban en su pequeñísimo pueblo: castellano, inglés, warao[1]; rodeado de una vida en la que los muchachos practicaban un inocente erotismo con figuras de barro y en las que las carreteras y los coches eran una referencia lejana, su literatura jamás ha pretendido repetir las visiones frívolas con las que cierto segmento de la narrativa hispanoamericana ha logrado tomar por asalto la sensibilidad turística de universidades, de lectores estadounidenses y europeos.

Balza pertenece a otra familia: a la estirpe de los escritores contemporáneos más renovadores e inclasificables de nuestro idioma. Es junto a nombres como Ricardo Piglia, Roberto Bolaño, César Aira, o Enrique Vila-Matas, donde podemos ubicar la obra de José con relativa comodidad. Allí podemos comprender mejor su trabajo en la medida en que este representa una apuesta por la exploración de las formas narrativas. Una exploración que pervierte esas formas, las altera, las reduce, las expande, pero sin extraviar la necesaria seducción del lector que configura toda expresión que intente alcanzar el espacio del encantamiento.

Porque el encantamiento es parte fundamental de estos relatos: anécdotas que poseen la vaporosidad de una acuarela; lenguaje poseído por el esplendor de lo poético, construcciones verbales nacidas de la curiosidad reflexiva y sobre todo, de la utilización del arte de la reticencia. Porque las narraciones del venezolano José Balza dicen mucho acudiendo a la omisión, ajustando el relato a sus elementos más esenciales, diciendo sin decir.

Noten ustedes que hasta ahora no he utilizado la palabra cuento para definir estos textos. Claro que lo son, en la medida en el que el género permite infinidad de desarrollos, pero Balza ha insistido siempre en llamar «ejercicios narrativos» a esas piezas que nosotros denominaríamos cuentos o novelas. El detalle no es insignificante ni puede ser soslayado. Para José Balza su obra ficcional es un continuo acercamiento a la idea de una perfección literaria encarnada en autores como Proust, Kafka, Juan Carlos Onetti, Cortázar, Guillermo Meneses, Durrell, con lo que cada texto sería el eterno ejercicio de aproximación a lo que el propio Balza se ha planteado como un inalcanzable ideal estético.

Surge así el esplendor de esta narrativa. Un incesante movimiento como el del río que intenta una y otra vez igualar al mar con la transparencia y el vigor de sus aguas, pero que sin lograrlo, crea otra forma de la belleza, otro modo de la plenitud.

Pareciera que Balza tiene muy claro su objetivo: no encajar en los modelos que se propone, pero crear un modelo propio: trazo próximo al poema en prosa, sutil trabajo sobre historias que se sostienen o que derivan en lo conceptual, texto narrativo que también puede asomarse con sigilo al ensayo y en el que la erudición se entreteje con la sensorialidad pura del paisaje y las personas.

Tres pueden ser los elementos más característicos de la obra de este escritor venezolano. El primero es su conciencia de que la narrativa contemporánea de mayor fulgor es aquella que rehuyendo de los encantos más gruesos de lo anecdótico trabaja con ahínco los elementos compositivos del relato que se vinculan al desarrollo del espacio y el tiempo («Prescindiendo»; «La mujer de la roca», «Chicle de menta»); el segundo es el desarrollo de personajes tomados por lo que Balza denomina la «multiplicad psíquica», es decir, por la posibilidad, o más bien la necesidad de que dentro de la apariencia unívoca de cada ser humano y de sus retratos en la ficción, coexistan múltiples y a veces contradictorias maneras de ser, de pensar, de sentir, de amar, de vivir («La sangre»; «El rito»). Y el tercero es su relación con el paisaje selvático. A diferencia de buena parte de la narrativa hispanoamericana anterior que contemplaba este espacio con ojos de extrañeza, que la definía como un enemigo a ser vencido, para Balza lo selvático es una presencia tan acogedora y terrible como la propia ciudad. En Balza, la selva es el espacio del horror, pero también el del milagro («Caligrafía», «La sombra de oro»).

2

Algunos lo sabrán, pero para quienes lo desconocen debo subrayar una obviedad: José Balza es una de las voces más reconocidas y admiradas dentro del panorama de la literatura venezolana actual. Junto a autores como Eduardo Liendo, Francisco Massiani, Oswaldo Trejo y Salvador Garmendia, su trabajo condensa las señales más significativas de la creación verbal que cerró el siglo xx en ese país.

Con una obra que sobrepasa los cuarenta títulos entre «novelas», «ensayos» y libros de «cuentos», Balza ha ido trazando el desarrollo de una trayectoria literaria densa, imponente, que lo ha convertido en un autor de culto en Hispanoamérica. Su obra ha traspasado las fronteras de su nación; sus títulos son conocidos por acuciosos lectores en México, Cuba, Colombia, Guatemala, Ecuador, pero también en Francia, Israel, Bulgaria, que se deleitan con la exacta arquitectura de sus narraciones cortas y de varias de sus novelas, especialmente Percusión, obra mayor de la narrativa contemporánea en nuestro idioma, publicada originalmente por Seix Barral en 1982 y de la que existen ediciones más recientes en Bogotá y en Caracas.

No es de extrañar entonces que Julio Cortázar esgrimiera términos muy elogiosos para referirse a este autor venezolano, cuya lectura calificó como una experiencia: «a la vez honda y fascinante», sostenida en un lenguaje: «de gran belleza no sólo formal sino inventiva en ese otro sentido que para mí al menos tiene el lenguaje de la creación, esas transgresiones fecundas y esos bruscos hundimientos en las raíces de la psiquis».

Rescatar y divulgar esas transgresiones fecundas, y esos hundimientos en las raíces de la psiquis a los que se refería Cortázar en 1974, es una de las intenciones fundamentales de esta selección de cuentos. Aquí se recuperan algunas de las narraciones más notables de José Balza.

Recalco la palabra algunas, porque la vastedad y la calidad de su obra me obligaron a prescindir de textos de primera categoría que se encuentran diseminados en los trece libros de relatos que lleva publicados hasta la fecha.

Por otro lado, esta muestra también incorpora textos breves de los años sesenta que nunca vieron la luz, y recoge las más recientes narraciones inéditas del escritor venezolano. Es así como el lector tiene entre sus manos el esbozo de un paisaje, la invitación de una escritura que durante más de cuarenta y tres años ha ido trazando caminos que poseen la vigorosidad de lo fluvial: aguas quietas bajo las cuales irrumpen imprevisibles corrientes, trazos, sedimentos, islas que como la escritura, nacen frente al asombro de nuestros ojos.

JUAN CARLOS MÉNDEZ GUÉDEZ
Madrid, mayo, 2004.

---

[1] Idioma indígena que hablan los Waraos, pueblo que habita en los caños del Delta del Orinoco desde tiempos inmemoriales.

La sombra del oro

A Silda Cordoliani

Claro que yo también tuve ocho años; puedo asegurar-
lo ahora por la sombra dorada del caimito. Desde muy lejos, desde un pequeño brillo de diamante, comenzaba el
río a crecer; para nosotros su origen saltaba como una
chispa y lentamente adquiría la sinuosidad de las costas;
abrumadoras cargas de bambúes, de palmeras y ceibas. Al
acercarse parecía que el agua iba a sumergir la isla, frente a nuestra casa; pero no, el gigantesco cuerpo del río on-
dulaba dulcemente y apenas mordía, con dientes de moli-
no, fugaz, los bordes de la isla y de nuestro propio puerto.
A pesar de su humedad, el río era el verano; vientos de
ópalo sobre el oleaje, sonidos momentáneos en el ramaje.
El verano también tenía un cuerpo interminable: se lanza-
ba desde aquel cristal mínimo de donde surgía el río tras
los bosques, hasta quedar atrapado en el silencio de cobre,
en las hojas moradas del caimito, junto a mi casa.

Aquí está, casi tan cerca que con diez pasos todos los
niños podíamos tocar su tronco, arrebatarle las frutas ac-
cesibles o, simplemente, como ocurría conmigo, saltar y

correr dentro de su extensa sombra, con el peligro de tropezar una raíz y romperme una pata; porque esas carreras tenían que ser mirando hacia arriba, impulsado por el movimiento, pero también por un extraño deseo de ver más: de entregarme con la mirada al lejano cielo feliz, de calcular que podría alcanzar las ramas elevadas, de sentir contra el cuerpo aquel torbellino rojizo, violeta y dorado en el cual se convertían las hojas del caimito.

Ya sabía que el caimito existe para la luz del día; para inmovilizar el sol y retener su resplandor en la parte inferior de las hojas; yo encontraba en el día y en el verano el reino del caimito.

Nadie ignora que mis hermanos jamás han estado tres minutos quietos; también ellos pasaban bajo el árbol, aullando o listos para cazar una iguana. Por eso no pudieron verlo. Ya que si bien practicaba carreras en círculo, a veces elegía una raíz para sentarme y mirar hacia arriba, hasta que el sol se iba o hasta que mamá llamaba a cenar. (Oscurecía, y aún el árbol destilaba un polvo dorado que flotaba a su alrededor; las hilachas del sol bajo las hojas). Fue así, inmóviles ambos, como nos vimos la primera vez, porque estoy seguro de que la elección fue mutua. Allá, en el copito, moviendo lentamente un ala o la pata izquierda o el cuello, lo vi mirarme justo cuando la luz de la tarde sólo nacía del caimito.

A nadie lo conté; pero desde ese momento hasta el final del verano debo haber vivido para alimentar el sueño de tenerlo. Pregunté a otros muchachos (jamás a mis hermanos: eran capaces de sospechar, y de matarlo rápidamente) e incluso a los pescadores. Sí, confirmaron. Así era un pájaro de las selvas profundas; aromático, delicado, de tonos cambiantes, cuyo canto abre caminos extraños en las selvas: un pájaro que –según ellos– jamás llegaría a esta zona del delta, donde se establecen pequeños poblados. Ignora, desconoce a los hombres, me dijeron; nunca podrá ser domesticado y para verlo hay que hacer terribles viajes a los caños remotos. Uno de los pescadores añadió, riéndose, que quizás lo han inventado algunos borrachos o esos hombres que naufragan cuando el río se pone bravo. «El pájaro del fracaso» dijo otro.

Guardé por meses el secreto; aquel talismán sonoro, recóndito; el ave salvaje y casi desconocida, venía algunas tardes al caimito. Me inquietaba que alguno de mis hermanos también pudiese descubrirlo: y entonces perdí la espontaneidad para estar cerca de mi árbol: andaba por todas partes, menos por allí; excepto cuando algo –un paseo en curiara, la hora de cenar, otras maldades– retenía al grupo. Sólo entonces volvía yo a la fiesta del verano: el sol dilatándose en joyas delgadísimas sobre las hojas, el caimito sonando para mí, y el pájaro en lo alto, conmigo.

Tal vez fue el verano más largo en el delta o en mi vida. O tal vez así me parece por el lento acercamiento entre nosotros. No abandoné la escuela (lejana, en el otro extremo del camino, a la cual llegábamos sucios de bejucales rotos y de frutas, después de andar media hora bajo el convexo follaje); ni dejé los juegos o las cosas que descubría con amigos y hermanos. Pero todo había cambiado. En mis cuadernos hacía ahora el dibujo de un perfil aéreo; o la búsqueda de ciertos colores para el plumaje. Me dormía después de los otros; y despertaba en la noche sobresaltado con el pájaro en las manos, indeciso, queriendo saber qué hacer con él. Un punzante sentimiento dejaba sin respuesta esos momentos; mis brazos estaban vacíos.

Fue durante uno de esos instantes, sudoroso, estigmatizado por la luna de la ventana, cuando supe como enloquecido que yo era un niño de ocho años: y que cuanto era entonces seguiría siéndolo para siempre. Nada en mí cambiaría jamás. Posiblemente no tuve palabras para pensar así. Pero ahora intuyo que eso es cuanto hubiera pensado entonces. Supe también que esa infancia no tendría sentido si yo no lograba poseer el ave salvaje; aquel emisario único: esa gota de belleza (o de fracaso, como dijera el pescador).

Y así decidí mis gestos: con discreción ante los demás, convirtiendo en otra cosa la búsqueda de una fruta o de una rama alta para mirar al río, inicié el ascenso al caimito. Primero: asegurarse de que él estaba arriba, reconociéndome. Luego saltaba yo al tronco (maldición: ¡un raspón en la piel del abdomen y de los muslos!), venciendo sus rugosidades. A cierta altura volvía a quedar inmóvil, bajo su mirada. Y nada más.

El próximo día, mayor altura: hasta el grueso ramo cargado de verdosos racimos. Me atrevía entonces a devorar un caimito, no tanto por la pulpa sino por su agua gelatinosa, como si mi sed quisiera ingerir un mundo concreto. En tres semanas llegué muy cerca: pude precisar la soltura de sus formas, su agilidad y el numeroso colorido. Algo indicaba que era necesario tal ritual: cumplir una costumbre, la repetición de mi llegada y su proximidad. Entonces yo hubiera querido ser un camaleón, para tomar los rasgos del tronco y de las hojas, y desaparecer. Temía que la espesura del árbol no ocultara por completo. Nadie debía verme: nadie podía conocer el vínculo que el caimito había establecido. Pero éste nos protegió por completo; en silencio, sintiendo el aire como un pozo que se balanceaba, fui estando cerca del ave. Cierta vez, dentro de esa calma luminosa, creí escucharlo cantar: un timbre de miel, transparente.

Una tarde coloqué el más jugoso caimito en mi mano y la extendí; estábamos tan cerca que él no tardó en picotear. Me enamoró su elegancia y su breve apetito. Maravillado como nunca, apenas calculé que me buscarían o habría signos del hogar allá abajo, comencé el cuidadoso descenso. Al tocar el suelo noté que algo brumoso filtraba el acostumbrado esplendor del sol: vastas, débiles nubes lejanas indicaban que tras los bosques, al otro lado del río, podía estar lloviendo.

Nunca supe qué ocurría por las noches con el pájaro; pero a la tercera tarde de ofrecerle comida en mi mano, el niño estaba seguro de que podría llevarlo a casa. Sin precisar nada, avisó a la madre; anunció a los hermanos que recibiría un animal precioso; y preparó el nido en el alero de la casa, cerca de la ventana, justamente donde podía verlo al acostarse. La verdad es que nadie dio mucha importancia a la noticia: tal vez imaginaron que aparecería con una paloma o con un azulejo. Pero cuando a las cuatro de la tarde −la hora perfecta del caimito: el instante en que su hojarasca se balanceaba tiernamente, como un aliento de magnética púrpura− del día siguiente llamó a todos y mostró el ave la admiración fue unánime. No contó cómo lo había logrado, de dónde venía ese largo amor. En principio los familiares, después algunos vecinos y finalmente los pescadores (que ya se arreglaban para trabajar de noche) vinieron, incrédulos. El pájaro de la selva, distinto, imposible, estaba libremente en las manos del niño. Lo reconocieron por su diferencia, por cosas escuchadas, ya que ninguno de los presentes había visto antes tal especie.

−Tienes que cortarle la punta de un ala, así no podrá volar.

−¡Amárralo!

−No, métalo en una jaula. Se te irá enseguida.

Mil consejos recibió el niño: en ellos tradujo el mismo deseo suyo por el ave, pero también algo de envidia o, quizá, de temor.

Era un tesoro colectivo y la gente perdería algo importante si escapaba.

No obstante, el muchachito advertía que si durante tantas horas habían vivido cerca, que si el pájaro por si mismo aceptó venirse, estaba excluido el peligro de perderlo. Se quedaría allí, en el nido o en el caimito, para siempre. Le gustaba tanto, lo deseaba tanto, que la fuerza misma de su amor sería apta para retenerlo. Dejó intacto al animal y no lo sometió a la jaula. ¿Puedo reconocerme en ese rasgo de los ocho años?

Durante la primera noche casi no durmió, buscando a través de la ventana la silueta espléndida en el nido. Inmóvil, el pájaro parecía seguir su vigilia, su alegría. Y todo el día siguiente estuvieron próximos: en el patio, comiendo, en el caimito, ante los visitantes asombrados; cuidándolo con sus hermanos, hablando, adivinando el destino del ave. Por ratos esta voló hacia los bosques, para volver a su mano. Ese inmenso cometa diurno, el verano, que nace más allá de las costas y se detiene aquí, en el árbol violáceo, alcanzó así su radiante plenitud.

Ahora la emoción y la nueva noche le permitieron dormir confiado; cuanto el mundo pudiera darle estaba a su lado. La felicidad de los últimos días había madurado, y nada faltaba en él. Durmió con hondura, sosegado, habiéndose entregado también por completo.

De pronto algo lo distrajo del sueño: un seco movimiento del aire, un roce entre las hojas del caimito. Cambió de posición y despertó realmente: afuera la silueta del nido estaba vacía. Palpitante, saltó descalzo en el silencio de la casa; no quería alarmar.

Se acercó al alero: nada. Avanzó hacia el árbol y cada hoja lo engañaba con forma de pájaro. No había luna pero una arena blanca hacía todo visible. ¿Serían las doce? ¿Aún dormía? No, la humedad de la hierba, unas ramitas hirientes sacudían su piel. Comenzó a trepar el árbol y no pudo. Aguzó los ojos: no, nada había en lo alto ni sobre otros árboles. El viento, el silencio herían. Quiso pedir ayuda: pero así como había hecho invisible su felicidad, así también se condujo con la pérdida. El pájaro había huido en medio de la gloria.

Nunca volví a verlo. Y ahora que estoy otra vez cerca del caimito, reconozco que esa herida banal no se ha curado: su huella es, a veces, un dolor; a veces aquel primer insomnio que renace. El deseo por esa figura salvaje y graciosa me acompaña siempre: o por lo menos revive cuando el amor o lo inesperado me invitan. Ahora he regresado al pueblo, después de tantos años. Muchas cosas cambiaron, pero el caimito, más ampuloso, exigente, no. Nadie puede recordar aquella historia de mi infancia. Y yo también podría perderla si no estuviese ahora dentro de la sombra dorada del caimito, que parece escribir, con el sol, esos días de los ochos años y de aquella aparición obsesiva.

LA SANGRE

Una moneda irregular sobre la tabla, y muy cerca aquella altura. El primer día huyó sólo con la esperanza de no ser encontrado; atrás quedaban el desastre de su columna y la muerte del comandante, cuyo cadáver resbaló desde el caballo hasta caer sobre el capitán, inmóvil y también ensangrentado como si fuese cualquier otro soldado. Allí estaba boca abajo, mientras la hora del combate lo favorecía, porque el anochecer impulsaba a los criollos, vencedores, en busca de las casas más próximas para reponerse. El capitán soportó al muerto casi cinco horas y por momentos confundió el escaso dolor de su propia mano con el torrente de sangre que cubría una cabeza despegada. Al comienzo la sangre del otro bajó caliente y rápida, inundó su espalda, el pecho; después se hizo lenta y porosa. El cuerpo decapitado del comandante se hacía rígido encima de su soldado; éste vislumbró un vago terror que surgía de sus vísceras, tembló sólo por dentro, como asfixiándose. En el primer momento la sangre que llegaba desde el otro cuerpo hasta su boca lo hizo estremecer: pero sabía que un gesto, un cambio de posición era perderse: los criollos aún transitaban el campo. Tenso, esperó la noche; huiría tranquilo porque la herida de su mano parecía insignificante. Había tragado lentamente la sangre del muerto y hasta sintió cómo se aguaba y hedía. Entre las sombras, atormentado y feliz, huyó más tarde hacia el matorral, sorprendido de saber quién era.

El segundo día pensó que la tierra roja sería estéril y sin animales. Viró hacia el sur: la mano herida sobre el puñal, los pasos aún cautelosos. Al atardecer la sed lo agobiaba; imploró; la lluvia duró toda la noche; satisfecho cayó dentro del barro. Al abrir los ojos, halló otro hombre con su mismo uniforme, mirándolo. Saltó, aprensivo. Eran amigos, venían de la derrota. El capitán no quiso saber cómo se había salvado el otro: su tos obsesionaba.

Durante tres días buscaron frutas y animales. La tierra oscura ofrecía bosques, lianas y gajos amarillentos, pero amargos. Su propio vómito enfureció al capitán; el otro tosía más. Ablandaron con piedras sus cinturones y los comieron. Pedazos de calzado húmedo, triturados con bejucos, le dieron fiebre al compañero. Los días en ese desierto húmedo y las noches impenetrables los hacían soñar con aves imposibles, sazonadas por ellos. La vigilia fue un extraño furor para el capitán.

El décimo día alguno de los dos hizo fuego y se sentaron, exhaustos. El otro tosía débilmente y se echó boca abajo entre la hierba. Intranquilo, certero, el capitán clavó su puñal en la espalda y sacó pedazos de vísceras. Devoró con soberbia, agotado, sólo al final recordó las brasas y el fuego, pero estaba saciado.

En la mañana continuó hacia el sur. Casi en seguida halló indios distraídos y se quedó con ellos. Curó la mano; en la comida vegetal había un sabor que lo dejaba vacío; añoraba el crujir de otras pulpas. Vio el gran río poseído por los indios. ¿Dónde estaba él? Nada quedaba de su uniforme sino la piel blanca, rubia, y una barba recién nacida. También el puñal como signo de poder español. Practicó el uso de las pequeñas naves indígenas, retribuyó la proximidad de las mujeres. Pero no resistió: en la calma de una noche tomó dos niños y una curiara. El río los absorbió como silencio. Ni siquiera guardó la distancia suficiente; antes de que saliera el sol había comido el vientre y las nalgas de un niño. Soñoliento, el otro adivinó el miedo.

Cuatro días más tarde, satisfechas el hambre y la sed; severo como en viejos tiempos, el soldado vio interrumpida la superficie lustrosa del río por piedras inmensas. La serranía descendió; montículos dispersos lo atraían; en una curva centelleante el río le entregó la forma quebrada, dominante y simétrica de un castillo. El soldado dudó de sí: pero en aquel ángulo de la costa había un sólido fuerte español y, sobre la colina, otro. La alegría sacudió dulces voracidades en su vientre, abandonó el transporte y se acercó sigilosamente por tierra. En la mañana de luminosidad estricta, tal como ha de ser, antes de la lluvia y la tormenta, descubrió otros soldados, su mundo, las torres.

Esa misma tarde fue recibido y ubicado según su rango. Una sobriedad particular, cierta altanera fuerza, lo invadió al escuchar el recibimiento solemne del regimiento. Apenas si el uniforme le molestó un poco. Se enteró de que las columnas españolas vencían de nuevo; y sin embargo, al día siguiente su primera tarea fue ingrata, casi injusta: dejó el lecho para custodiar el castigo de otro soldado, quien fuera sorprendido días atrás tratando de huir por el río. El capitán dejó la cama: desde el patio del castillo observó una circunferencia abrumadora por su belleza y amplitud: en un extremo las sabanas; en el otro, las montañas barnizadas; y por otros puntos, el río que viene, pasa, tumultuoso, lento y profundo. El capitán se sabía envuelto en esa altura magnífica, delicada y estratégica a la vez, soberbia en el aire que ardía insospechable. Pero su corazón no había de registrar huellas para esa plenitud solar, para el agua única; giró sobre sí mismo y se detuvo ante la ventanilla del último calabozo. Decidido, grave a pesar de la simplicidad de su trabajo, aguardó. Y sólo entonces vio, a través del pequeño espacio, los movimientos concentrados del prisionero. Era otro hombre blanco, rubio como él, y desnudo. Un vacío agrio sacudió al capitán: vio el torso móvil, los brazos musculosos, un desafío. Imaginó una excusa, un último aplazamiento. Como soñándose palpó su espada, se acercó a la ventana.

Pero la moneda casi no sonó al caer sobre el mostrador de viejas tablas: estaba muy gastada y en ella la imagen de un castillo y la fecha de 1813 apenas eran visibles. Nosotros alzamos la mirada hacia la altura: dentro de la luz rápida, estaba el antiguo fuerte español. Castillos del Orinoco, piedras del azar. El hombre de la pequeña tienda recogió la moneda; únicamente le gustaba mostrarla a visitantes. Era la una de la tarde; el río se aprestaba al furor y, distante, vimos la tempestad que nos encontraría en camino. Bebimos la última cerveza. De un golpe rememoré cómo salíamos en la mañana hacia estos raudales del río, cómo alquilamos la embarcación y pude recobrar tu interés por los lejanos castillos. Ahora has dicho que sería posible escribir una historia sobre estas ruinas, y sonreí. ¿Qué puede haber tras esas estables escalinatas, tras de los muros en cuyos bordes nacen pequeños arbustos? Los viejos castillos duermen y una serenidad total se reúne en las aguas, debajo. La cerveza se acaba y nos vamos. El viejo de la tienda sostiene entre sus dedos la oscura moneda. Te miro y vuelvo a sonreír; nuestra imaginación es ajena a los gruesos castillos; estos carecen de secretos, nada, no hay nada que escribir.

PRISA

Un hombre va retrasado a una urgente y decisiva reunión. Encuentra a un amigo:
–¿Qué hago?, ¿cómo puedo llegar a tiempo?
–Vete de espaldas –responde el amigo.

(1960)

La mujer de la roca

(Juego narrativo)

1

Por su extrañeza hay que decirlo de la manera más sencilla: ese día, a la edad perfecta, la mujer movió la piedra hacia su casa.

Lo que debemos saber en seguida es que la distancia entre la casa y la montaña, de donde fue desprendida la roca, es de cien kilómetros. Y el macizo transportado, tan grande como una parte de la casa.

(Para continuar la historia, lo adelanto, necesito de ti).

2

¿Dónde encontrar el origen de ese gesto? ¿Cuál es su sentido? Mis sencillas notas tal vez no alcancen a explicar ambas cosas. Pero en cuanto a los hechos: ella había pasado un año antes, por azar, frente al lugar. Era inevitable que ocurriese así, porque la carretera no permite hacer otra cosa: debíamos haber atravesado esa ruta mil veces. (¿Por qué todo lo hizo, precisamente, ella –y no alguno de nosotros?)

3

Este mar no admite comparaciones: surge a derecha e izquierda como una vibración poderosa: azules jamás pensados se turnan, contrastan como si no fueran azules. En la distancia infinita son espumas o brumas; frente a nosotros, abajo, un diluvio de luz. La roja carretera y los arbustos chocan contra un fondo inmortal de turquesa.

Las montañas son las costas de Oriente y el mar Caribe ese plano absorbente que las ciñe. En el centro de las bahías crece la ciudad, tan actual que casi lastima. Playas, edificios, anuncios, autopistas, gente agitada. Tales son los elementos que rodean la casa de la mujer, a donde fue traída la piedra gigantesca.

Hace apenas unos años la ciudad era casi una aldea. Y la casa estaba solitaria, aislada. Tal vez por eso resulte amplio, acogedor, su patio e inmenso el jardín lleno de palmeras.

4

Ella había trabajado en diversos oficios, y asegurado su situación. Aún ahora acepta tareas por tiempo prudencial. Educó a sus hijos. Se casó dos veces y amó mucho, en esas y otras ocasiones. Práctica para la vida cotidiana, también hizo estudios profesionales, y se rodea tanto de antiguos pescadores como de intelectuales y gente de empresas. Goza singularmente sus horas de soledad.

Es una mujer de estatura regular, de negro pelo y sonrisa marcada. Cocina cosas exquisitas. Cuando bebe una cerveza lo hace con unción. Atiende y resuelve mil detalles útiles para la comunidad inmediata.

Su persona y su casa están labradas por un incesante resplandor.

5

¿Qué determinó el traslado? ¿Fue la impresión contundente de la roca, con su rojiza fuerza? ¿O el vacío acogedor de la casa, del jardín?

Ella nunca se preguntó cómo podría colocar ese inmenso bloque de silente masa milenaria allí. Cuando afrontó el hecho, supo que debía romper una esquina, dos paredes y la puerta de un lado.

No reducir la casa sino tumbar para dar paso, y luego reconstruir. No había otra manera de colocar la piedra. Y en ese momento ya las grúas iban a sostener en el aire la roca traída de tan lejos.

En medio del proceso no se preguntó por qué debía acercar aquella tierra tan antigua a su patio ni qué ventaja obtendría con ello. El impulso de colocarla junto a sí, junto a sus pasos y su mirada había sido absoluto.

6

Un día antes, allá en la carretera, hubo que detener el tráfico y mostrar la orden oficial para el traslado. Aquella arista de la montaña no pertenecía a nadie, carecía de valor y hasta parecía molestar la visibilidad de los chóferes cerca de la curva.

El fiscal, uniformado y sudoroso, no comprendió muy bien de qué se trataba, pero permitió seguir, y hasta colaboró: los autos fueron desviados, se les dejó pasar de uno en uno, al borde del precipicio, mientras la máquina arrancaba el trozo de montaña.

En principio, la roca no se diferenciaba mucho. Era un ángulo más del cerro: bermejo, tatuado, con pliegues prehistóricos, manchas claras y oscuras, sombras de trilobites. En un momento, bajo el sol, brilló como un escudo gigantesco de indescifrables inscripciones. ¿Es que la mujer quería aprisionar, poseer una rebanada de tiempo concretada en la masa? ¿Sentir que respiraba aun lo tenebroso que millones de años concentraban en la pulpa magenta?

Pero a medida que la pala mecánica, operando suavemente, aunque con calculada violencia, extraía, arrancaba la roca, esta mostraba sus contornos, su cuerpo imponente, su inclinación peligrosa. Sin embargo, los hombres, con cascos y guantes, dirigieron sutilmente el tremendo brazo metálico, y ella se desprendía en silencio, arrojando arena, terrones, vegetación, polvo. Algo emergía, desde los secretos milenarios, y ese algo es la piedra pura, certera como un destino.

7

Aquel día el barrio se excitó. Jóvenes y viejos, curiosos y transeúntes quedaron inmovilizados alrededor del sitio, observando las extrañas maniobras y la colocación del objeto.

Después la grúa y todos se fueron. Y sin embargo, el incidente de romper un poco la pared, de hacer cosas súbitas, no permitió a la mujer el goce de la ceremonia. Esa misma tarde aplanó la tierra, girando con atención alrededor de la roca.

Tres días después ya había más orden, y llovió largamente. La tierra húmeda se acomodó de manera natural, y hasta unos precoces asomos de hierbas dieron su tono habitual entre la arena y las grietas. Sólo a partir de entonces la mujer descansó o se concentró en el hecho de haber cumplido su deseo.

Había vivido en un mundo acentuado por el mar; olas y colores crearon allí la continuidad entre los cielos y el agua. Y a veces el mar parecía subir, trepar sobre la ciudad y arropar las montañas. Esto podía ocurrir en los días de lluvia o durante algunos atardeceres brumosos. Pero ella sabía perfectamente que nada puede vencer el torso fiero de la cordillera, que la tierra también es infinita desde las costas hacia el sur. En medio de esa armoniosa oposición, la ciudad brilla delicadamente y transpira torpeza o rencor, pero también felicidad. A ella le ha correspondido la perfección, sólo tiene que vivir lo salvaje, lo espontáneo de su propia existencia, y ordenarlo de vez en cuando, como al deseo.

8

Ese año, cuando tomó la decisión (o cuando se produjo el definitivo encantamiento con el sitio), la mujer comentó su idea con un buen amigo suyo. Era tan inocente su deseo por aquella tierra (¿sabe alguien realmente de esto?) que, después de cuatro cervezas, el amigo se vio obligado a puntualizar: «Está bien, viniste a hablarme, pero terminarás haciendo lo que quieras. Sin embargo, tú recuerdas, ¿no?, tú sabes lo que ocurrió hace tiempo en esas lomas. Allá, tal vez exactamente encima de la cresta que quieres llevar a tu casa, asesinaron una noche a aquel hombre. Su pecho y sus testículos fueron aplastados allí. Nadie hubiera podido notar su sangre junto a las manchas del terreno. Tal vez no murió en ese lugar, pero ahí lo desangraron. Y luego la misma gente del gobierno lo llevó al mar, le pusieron pedazos de piedra atados a los pies, y lo arrojaron. No se imaginaron que unos pescadores lo encontrarían después y que todavía hoy se comenta esa historia. Tú sabes esto. No quiero dañar la pureza o lo poético de tu gesto. Pero...»

–Qué dolor. Pero mi roca nada tiene que ver con eso –respondió.

9

El tiempo ha pasado y en la casa con su amplio patio nada parece haber cambiado. La mujer misma cumple de nuevo con su actividad de siempre. Y sin embargo, no sólo porque la gran roca vibra en el centro del jardín, o por el suceso de su traslado desde la distancia hasta aquí, y aun porque ese gesto irradia un especial sentido del deseo o de la voluntad, debemos creer que todo ha cambiado, y que la mujer es de algún modo un ser distinto. ¿Cómo?

Tal es la pregunta que tengo, a la vez que formulo otra: ¿por qué habré elegido esta historia para contarla?

(30 de setiembre-1 de octubre de 1996)

PRAEPUTIUM

1

Fue mi hermano mayor, poco antes de morir, quien me rogó hacerlo. Yo tenía doce años y no comprendí exactamente su orden, pero él mismo indicó que esperara: cuando tuviera la edad suficiente ella se acercaría a mí. Yo sabía con exactitud de quién hablaba, porque fui testigo de las veces en que ella pasó cerca de nuestras siembras o de las veces en que él escapó de noche hacia el castillo.

Ahora que tengo dieciocho años me parece que ella, Fabianne de Brandeis, es más joven que antes, cuando mi hermano iba a verla. Y sin embargo debe ser una mujer algo madura, aunque su cuerpo, su piel, sus movimientos son elásticos como los de una niña. Mirella, hija de un cazador vecino, la admira y dice que es bella, pero que también es maga y viejísima. Yo no le creo: Mirella no logra que me interese tanto en ella como en la dama de Brandeis.

Excepto yo, nadie supo el secreto de mi hermano. La causa de su muerte es lo mismo que me impulsa hacia Fabianne. Somos una familia de puros hombres, en la cual mamá reina y dirige como si fuéramos lobos y corderos. Hay dos hermanos antes que yo y dos después de mí. Nunca supe que alguno de ellos se comunicara con la dama. Tal vez porque yo tengo el cabello rubio y largo y el cuerpo fuerte como el de mi hermano mayor. Desde siempre aquí hemos trabajado junto a papá y nuestro vino y nuestro trigo, nuestros frutos son de gran calidad. Quizá en uno de sus viajes vendiendo cosas por la comarca, estando cerca del palacio cercano, mi hermano fue visto por primera vez.

Como he dicho, (como quizá te diga finalmente hoy, hermano) yo tenía doce años cuando los vi conversar. Fabianne de Brandeis vestía un traje dorado y venía en un caballo sostenido por el escudero de su esposo. Detrás, mujeres con hábitos oscuros, como una guardia de honor. Yo estaba inclinado sobre los surcos, muy cerca del manantial, que es nuestra fuente privada. Había que aprovechar el buen tiempo. Y ella se detuvo con su cortejo. Al lado, mi hermano se inquietó como un caballo. Tal vez era casualidad (¿o sabría algo él?) o tal vez no podía creer que la dama hubiese venido desde la ciudad hasta aquí para hablarle. Pero fue así: vino el escudero y lo llevó hasta ella.

Dos veces más hizo Fabianne este recorrido y por eso nunca la olvidé, aunque creo que nadie puede olvidarla después de haberla mirado. ¿Duró todo apenas algunas semanas o algunos meses? No puedo precisarlo. Él enloqueció por ella y fue a verla casi cada noche. Desafiaba la nieve y las tempestades. Sólo cuando el dolor lo obligó a inmovilizarse, cuando ya no pudo venir al campo a trabajar, me pidió ayuda y comencé a curarlo, bajo el juramento de no revelar nada. Las medicinas administradas por mamá o por algunas viejas de la localidad no servían.

–Contigo será perfecto, cuando ella te busque obedécele como si fueras yo mismo.

Tales fueron las palabras de mi hermano cuando iba a morir. Palabras que sólo ahora entiendo y que me repito esta noche, porque con ellas celebro su memoria y mi triunfo. A menos que hoy se cumpla algo que no puedo adivinar y que desde hoy comience yo a ser excluido del castillo. (Y entonces iré a decírtelo en el cementerio, hermano.)

En verdad, casi nunca pensé en la dama hasta hace pocos meses. Ella estaba en la plaza acompañada por quien debía ser su esposo, un caballero arrogante y algo marchito. Yo distribuía la misma mercancía que hemos cultivado. Otras veces había escuchado los rumores que circulan por el mercado: se acaba el siglo, también el milenio, dicen. No comprendo bien este asunto de los tiempos. Hay adivinos y sé que debemos practicar baños especiales y ensalmes. Precisamente mientras un ciego recitaba esa letanía del fin del milenio, al levantar la cara sentí aquella mirada encantadora: Fabianne está sola, junto a mí. Vislumbré el alto tocado de oro y damasco, la capa enjoyada. Bajé la cara, pero ella colocó su mano en mi cabeza. La vi, sonrió como si nos conociéramos. Supe que había hallado la mujer de mi vida, que ni Mirella ni las otras chicas de Frauburg pueden comparársele.

Mi hermano –sabio e infortunado– tenía razón: ella me había encontrado. ¿Cómo pudo saber que yo sería el elegido?

2

Desde hace algunos meses acudo por las noches a la hermosa habitación de esta torre, donde ahora la espero. ¿También mi hermano fue recibido aquí? ¿Cuántos otros vivieron lo que él y yo? Tal vez la belleza y la juventud de esta dama se nutran del alimento que somos nosotros.

Hoy comerá el último bocado y eso puede significar mi exilio del palacio para siempre. ¿O a pesar del agotamiento seguiré siendo suyo? Esta noche es decisiva y sé que debo acatar lo que venga. Mi hermano dijo que la obedeciera.

Hay candiles y cortinajes que tapan la ojiva, un lecho de madera oscura, alto y protegido por ricos tejidos, muy suave en el centro. Flores y licor que ella nunca prueba, aunque me incita a tomarlo con fascinante imposición. ¿Murieron muchos como mi hermano? Tampoco yo tengo claro por qué sigo vivo y sano. Me digo que la experiencia del deseo, de tanta pasión inagotable, me protege. Cuando ella ha cumplido su impulso, delirante y feliz, yo voy hacia el manantial, la fuente de mi casa, corro a ella y ya en las aguas vuelvo a frotarme y a eyacular, con la misma intensidad como si estuviese dentro de ella, cosa que jamás ha ocurrido porque su gusto es otro, tal vez impensable, superior. Entonces, así, la siento doblemente mía. Y el agua es ella y sano rápidamente para volver cuatro o cinco días después.

Hace apenas un momento que el siervo me dejó solo. Es medianoche.

Como siempre, Fabianne entra silenciosamente. Aunque esté muy atento a su llegada, sólo advierto que está aquí cuando me toca el pecho. ¿Efecto del largo trago de licor que bebo al llegar, según sus indicaciones? Esto quizá permitiría a Mirella –si lo supiera– confirmar su idea de que es una bruja. Fabianne arroja el delicado manto que la envuelve y queda desnuda. Las velas están colocadas para que su vientre destaque frente a mí, sobre los almohadones bordados. Todo yo me voy en la mirada: su sexo palpita como una rara flor, su vello y su olor me turban. Lanzo mi cuello hacia allí, quisiera quedarme para siempre con la boca adherida, absorbiendo. Ella me dejará hacerlo por algunos momentos. Entonces acerca una copa, bebo y la beso. Su boca es tan dulce como la otra boca. Ahora sus manos vibran un poco al quitarme el sayo, al bajar el calzón.

Sus ojos irradian, sus manos me aprisionan. Fabianne tiene frente a ella mi lanza sanguínea. Va a besar desde abajo, desde los cojones, morderá suavemente el pelo cobrizo y lame la cabeza.

La primera vez yo no entendía su juego. Ella apretó y movió el prepucio hacia atrás, con una lentitud que me enloquecía. Creí que iba a beber la primera gota, pero no, siguió tocando la piel móvil, sintiéndola arrollarse y estirarse, cubrir mi verga y destaparla. Nunca imaginé que su pericia lograría que mi prepucio tapara todo el poderoso animal erecto. Susurraba para que yo me contuviera y así lo hice. Y en medio de ese placer extremo, hundiendo yo mis dedos en su carne maravillosa, su boca comenzó a succionar. Creo que supo calcular: en el instante del éxtasis, el placer fue llevado más allá de lo posible: sus dientes arrancaban un pedazo de prepucio. La sangre y el semen en su rostro, mi pasión ardiendo rostro a rostro. Y su boca masticando mi carne, triturando la piel, su orgasmo como un prodigio.

Durante meses he dejado que ella devore. Dentro de unos segundos va a morder y yo viviré doblemente nuestro placer. Sólo resta un último bocado. ¿Qué será de mí después?

(Caracas, 31 de enero de 1999)

PRESCINDIENDO

A Juan Carlos Méndez Guédez

ELEMENTOS: *La mujer morena* que acostumbra permanecer reclinada, con el rostro hacia abajo, en la alfombra, escuchando a Wagner.

El primer amante: enamorado, es decir, pueril e impulsivo.

Yo: El segundo amante, lo suficientemente cansado de ella como para hacer cualquier cosa.

LA HISTORIA:

Esperé tras de una columna, muy cerca de la escalera, hasta que mi amigo apareció y lo vi dirigirse, violentamente, hacia el apartamento que yo acababa de dejar. Imaginé de antemano sus actos, sabía que el furor no le daría tiempo de pensar, y me vine a casa, sonriendo.

Apenas he tenido el tiempo de cambiarme la ropa. Y encendía la radio, en seguida, cuando el timbre anunció la visita: hago entrar a mi amigo, cuya expresión desesperada me sorprende; muevo la cabeza en señal de saludo, pero no hablo. Sus ojos, entonces, brillan terriblemente, casi húmedos, y grita: «¡Tienes que decir algo!» Advierto su necesidad de consuelo y, sorpresivamente, me sitúo dentro de él y puedo comprender su desequilibrio, el dolor. Pero sólo lo obligo a sentarse, busco un poco de ron e inicio las preguntas, con tal precisión que nada de cuanto mi amigo dice, al responder, queda inconexo. Prolongo la conversación hasta obtener por completo la red; está envuelto de tal modo que no le queda posibilidad de liberarse.

Justamente ahora en la radio asoma un tema de Debussy. Me digo: he ahí una estructura de tejido, pero la voz de mi amigo elimina la impresión de la música. De inmediato él dice que se marcha, la culpabilidad lo destruye. Yo, entonces, me vuelvo sumamente amable; abro la puerta y, ceremonioso, me despido, porque comprendo que esta situación no se repetirá. El suicidio lo reclama.

Cuando quedo solo, aumento el volumen a la música y me río abiertamente ante la rapidez y sencillez del acto: fui, la besé, la estrangulé. Puse en marcha el tocadiscos; la pieza de Wagner sería la señal de que permanecía despierta. La música retorcida y no obstante tierna me acompañó mientras la colocaba boca abajo, extensos los cabellos con reflejos de uva sobre la felpa. Esperé bajo la escalera, tras la columna, y cuando mi amigo entró y le gritó, la indiferencia de ella (en ese momento crucial, como todo instante para un amante) hizo extraordinaria su exasperación. No pudo resistir el impulso de descargar las seis pequeñas balas. Luego él vino a mi casa para que yo, de algún modo, reforzara su idea de suicidio. Todo como fue previsto. Puedo imaginarlo aplicando ahora el arma a su cuerpo.

Y de pronto recuerdo que su pistola fue un antiguo obsequio hecho por mí.

(1963)

Rembrandt

Para Gladys Meneses

Saskia entró a la habitación. Todo como antes. Hasta el lento esplendor de junio se mantenía suspendido fuera de las ventanas, ya inficionado por el atardecer. Desde la penumbra reconoció su propio rostro, en el cuadro; allí él la acompañaba, vital, y reía levantando el licor. Alrededor había viejos grabados y dibujos: señales de una escritura que nunca comprendió por completo.

Ahora él está afuera, esperando que ella regrese. Saskia detenía la imagen contemplada en el lienzo sobre otras, también de sí misma, débiles y borrosas. Cielo untuoso de junio, impenetrable sobre las cosas, en la habitación. La muchacha evocó el rostro del médico, su mirada decisiva de la cual deriva este último día en la casa: hoy. La han rodeado con palabras que sugieren el regreso, pero Saskia está segura de que no habrá de volver. Sólo la muerte, se dice mientras toca la olvidada superficie de su retrato, induce a esta recuperación del tiempo, casi en concreciones del pensamiento. Ambos estaban ebrios cuando él inició el cuadro; ella acababa de entregarse, subyugada. Han vivido juntos, y él espera afuera para acompañarla al campo, a otra casa. Ninguno de los dos comentó la enfermedad, ella prefiere ese lenguaje que no admite equívocos, el silencio. Ni siquiera esta vez quiso que recorrieran juntos el salón.

Inesperadamente la noche se cumple. Las cosas en la habitación, el cielo dorado y ambos rostros –el de ella y el del retrato– se borran, sumergidos. Algo en su piel, dulce y ajeno, refiere para ella otra vez las horas del amor; pero Saskia carece de fuerzas para recordar. Solloza y, posiblemente, se desvanece.

Desde afuera, él escucha el grito y entra también en la cámara. En la penumbra distingue el rostro de Saskia, amorosa, que sonríe; desconcertante: va hacia ella y la acaricia: desgarrado, comprende que sus manos recorren las antiguas líneas del cuadro pintado por él. Saskia está sobre la alfombra, en la oscuridad.

CHICLE DE MENTA

Tomó por la calle más larga: aún había tiempo. La neblina del crepúsculo y la aparición de las casas –como sólo ocurre al final del año escolar– a través de las hojas transparentes confirmaron su alegría. Atardecer de junio, cristal verde en el parque. En el viejo teatro de Catia sería el acto; su madre se opuso a que él marchara anticipadamente, pero nada logró retenerlo en casa. Ya está tan cerca que quisiera devolverse y recomenzar la caminata. Frente al cine, algunos muchachos de la escuela, de otros cursos. Él pasa sin verlos y de pronto regresa y se instala cerca de la puerta.

Aparecen algunas niñas acompañadas por hermanos y madres. Inesperadamente una sombra violeta desciende del autobús que acaba de estacionar: vienen monjas y alumnas invitadas. Algo, el viento tal vez, borra los árboles y los cuerpos de lienzos morados lo rodean, impregnan el espacio de sonidos y risas frágiles. Una fila de niñas se abre entre las religiosas; él olvida la presencia de los otros compañeros y las observa entrar al cine, repartirse en las butacas. Algunas estudiantes siguen, solas, hacia el escenario; allá desaparecen en la penumbra.

Giovanni mira de nuevo hacia la calle: el sol enrojecido por la niebla lo deslumbra. Siente que ha quedado ciego por un instante: no hay nada delante ni tras de sí. Introduce la mano en el bolsillo e inclina el rostro: aún no viene su madre, y casi es la hora. La confusa imagen de las muchachas rodeadas por los hábitos oscuros lo inquieta. ¿Quién es?

Ahora sí comienzan a aparecer alumnos de su propio grado, pero no quiere hablar con ellos. Es el final de la primaria; Giovanni irá al Liceo: tiene otro cuerpo y otra manera de ser. Esa alegría es incompartible, dudosa y ajena al mismo tiempo. Él no sabe lo que va a ocurrir dentro de poco y, sin embargo, lo sabe: ¿Comprendes, Luis Alberto, lo que quiero hacerte pensar? Tú me has relatado esa experiencia –tu primera interrupción del amor– y yo invento a Giovanni, para trasladarla al futuro, para que creas que habrás de vivirla: y en verdad, había ocurrido.

La madre de Giovanni llega retrasada; ya el muchacho de doce años ha visto los juegos de títeres y escuchó los poemas recitados por niños muy pequeños. Viene el momento en que actuarán las alumnas invitadas por su colegio; poco antes dos monjas han subido a los cuartos que están detrás del telón. Desde luego, Giovanni permanece en primera fila, exactamente donde su madre no podría hallarlo. El telón rojo vibra y una monja –dulce, realmente sagrada al surgir de esos dos colores fuertes– anuncia esta vez: «Un vals de Chaikovsky, por alumnas del 2° año.»

Tú puedes confrontar, Luis Alberto, la fidelidad entre la historia contada por ti y lo que estoy diciendo. Nada se ha alterado, sabes que nada cambiaré. Eres la única persona que puede trastocar algún detalle: pero hazlo en seguida; cuando haya escrito tu propia narración, quedaremos fuera de ella, no podremos hacer contacto con su circulación interna.

Lo importante es que tanto tú como Giovanni sabían que Alicia estaba ya en el cine, tras el escenario. No lo sabías realmente: porque no lograste recordar su cara mientras estabas parado cerca de la entrada y porque aún la memoria carecía de elementos concretos con los cuales operar. Pero tú mismo has dicho que enegueciste cuando ella hubo pasado; te equivocaste al decir: «¿Quién es?» y no «¿Quiénes son?» (Las monjas, las alumnas.) Ya la habías discriminado. Yo diría que la intensa claridad del parque, la neblina y el sol de la tarde también anticipaban para ti la presencia de Alicia. ¿Te ríes?

El telón se corre y la escena está en sombra violeta. Giovanni cree que se va a fastidiar con ese número; se voltea, buscando a su madre. Cuando vuelve a mirar el escenario, ya la música está sonando; es la pieza de Chaikovsky que tú has nombrado, Luis Alberto. Giovanni nunca había escuchado música similar: no la olvidará. Ahora hay luz rosa o azul. Los cuerpos de las bailarinas se pierden entre los árboles de un jardín; en él, Giovanni reconoce el parque por donde pasara antes. Después ingresa la solista: luz dorada, sonoridad de las arpas. Y esa muchacha es Alicia; blanca, feliz, ella baila. Parece sonreír, pero en verdad no lo hace: sólo muerde, nerviosa, un trocito de chicle. La felicidad de Giovanni hace conexiones entre la muchacha, la música y la sencillez del chicle. De pronto entiende las tres cosas. Una nueva emoción está en él.

¿Ves cómo alcanzo a seguir fielmente la línea de tu historia? Puedo contarla, Luis Alberto: puedo trasladarte al futuro o al pasado: poseo el lenguaje. Pero no sigamos narrando; sólo quiero que observes, no la imagen de Alicia ni a Giovanni –tu doble–, sino la estructura lírica con la cual los he rodeado: el parque, la música, el cambio de edad. Porque no me interesa escribir el relato de ese amor, Luis Alberto; quiero aprehender su atmósfera, los signos que lo anunciaban para la realidad y para el recuerdo.

EL LAGO

Antes de pisar la escalerilla del avión, sintió la incomodidad del calor, el aire exageradamente cálido. Comenzó a descender: en mitad de los escalones algo lo ahogaba: el cuello ajustado y grueso del suéter azul. ¿Por qué no fue capaz de prevenir esto? Se llevó la mano a la oreja y, por un momento, trató de apartar la tela: pero vio hacia adelante: las puertas de cristal, el fresco espacio de las oficinas. El error estuvo al haber elegido una semana atrás el suéter como señal. Comenzó a andar hacia la sala de recibimientos; el aeropuerto le parecía de pronto un solo punto –su cuerpo– que caía dentro del fuego. Como una defensa su piel lo hizo sentirse de nuevo en lo alto, transitando la frescura del cielo, poseyendo otra vez la imagen circular y serena del lago entrevista poco antes de aterrizar. En el avión alguien había preguntado: «¿Y el puente? ¿Dónde está el puente?» Pero él no quiso inclinarse como los demás hacia la otra ventanilla: tenía para sí el borde plateado de las costas a las dos de la tarde y el lago.

Se aproximaba a la gran puerta de la sala de espera. María Alejandra ya debía haberlo identificado con el suéter; recordó las cartas iniciales de ella, accidentales y eruditas (tanto más si provenían de una muchacha de dieciocho años, estudiante de filosofía), con las cuales le confesaba un interés inusitado por los artículos sobre Hegel. Él había respondido a esos mensajes con creciente entusiasmo y de pronto le ofreció aprovechar un fin de semana para visitarla: concibió que era necesario *ver* el pensamiento de una muchacha tan aguda, tan próxima mentalmente.

Llamó a María Alejandra. Una breve comunicación de larga distancia y tuvo ese día en el teléfono, como extinguiéndose a cada instante, pero llena de increíble seguridad, la voz de la muchacha. Acordaron encontrarse en el aeropuerto. «¿Y cómo sé quién eres tú?», dijo ella riendo. A él se le ocurrió: «Llevo un suéter azul, cuello de tortuga»; colgaron sin que a él se le ocurriese buscar los signos para identificarla a ella. Pero ahora, mientras el calor lo azota y busca la zona de aire acondicionado que debe estar tras la puerta de cristal, sabe que no es Hegel a quien quiere encontrar con este viaje. María Alejandra, desconocida, es también una nueva ciudad, otra forma de la juventud, la apertura de una forma de su espíritu que no logra determinar: tal vez aquella que lo ayuda a discernir la belleza, la realidad.

Entró a la sala brillante; vio los abrazos de bienvenida y los adioses. Arrancó de nuevo el avión; los taxistas se ofrecían. No vio a ninguna mujer. Buscó entonces su libreta de teléfonos: llamaría a María Alejandra. ¿Por qué su retraso? Pero un hombre alto, vestido con una corrección que a él le pareció excesiva para aquel clima, lo saludó familiarmente. Oyó mencionar su suéter azul, la señal; el hombre era el padre de María Alejandra; de algún modo la excusó: se había extraviado no sé dónde.

Él tomó la pequeña maleta y salieron: otra vez las llamas y, sin embargo, atardecía. Preguntó por los hoteles; de ningún modo, contestó el otro, estaba previsto que se hospedara en casa de ellos: María Alejandra lo había planificado así. El hombre condujo su automóvil con soltura mientras se volvía hacia él, conversando.

La ciudad es un comentario al lago; pasa entre grandes avenidas de tráfico irregular. Él se vio a sí mismo tan próximo a aquellas casas algo majestuosas, campestres, con balcones y tejas. Y reconoció el calor incisivo hasta en los árboles.

Le fue difícil fijar la mirada en el rostro de María Alejandra; quería y no quería ajustar la voz ya conocida por teléfono a esta faz de grandes ojos, a la piel blanca y a los gestos marcados y suaves de las manos. Ella salió con sus hermanos (cinco, por lo menos, y no los había mencionado en sus cartas) hasta el jardín; allí quedó el carro y ellos subieron unos escalones: de pronto él estuvo en una sala pequeña, acogedora, recargada de libros y cuadros.

Prefirió tomar café a pesar del calor; María Alejandra hablaba, con sencillez y con un apasionado tono de querer entender; cuando quedaron solos ella le mostró sus propias cartas, él sonrió y comentaron, ampliando puntos ya discutidos. Volvieron a Hegel, agresivos, felices. Y sólo cuando la más pequeña de las hermanas vino a anunciar la cena, él descubrió que la tarde había pasado y vio con sorpresa, a través de la ventana, un gótico colorido de palmeras y pinos. El lago, violáceo dentro de la noche, deslumbraba a lo lejos. María Alejandra se inclinó riendo y lo condujo al comedor.

Salieron; de ningún modo la noche alteró el calor. Él propuso, en broma, ir a un bar. María Alejandra pidió subir a un autobús viejo. Lo tomaron y circularon por callejones sombríos, húmedos como si el lago no se alejara nunca. Después vieron el centro de la ciudad, con luces débiles y recargadas paredes. Terminaron en un café de la avenida Vollmer. En verdad él hubiese querido, ahora en serio, tomar una cerveza en un bar; pidieron refrescos. Entonces María Alejandra solicitó información sobre él y sus opiniones, no acerca de Hegel. Interrogaba como al descuido, con prudencia. Él habló mucho esta vez; y devolvió la curiosidad: hacia los amigos de la muchacha y hacia los gustos de estos. «He tenido varios grupos; mis amigos me dan alegría, esa otra manera de la alegría», respondió ella, pero no los rescató para él. Y cuando él propuso ir de nuevo a un bar, María Alejandra meditó: salieron luego hablando ella de sus estudios, de la Universidad, y él de su reciente ingreso a Filosofía en la Facultad. Tomaron un carrito por puestos; hasta el viento (que entraba con fuerza porque los demás pasajeros no subían los vidrios) molestaba, quemante. Bajaron al final de una avenida y, con sorpresa, la muchacha reconoció que había equivocado la ruta: ni señales de un bar. Volvieron a la avenida Vollmer. Él comprendió las vacilaciones de María Alejandra y eligió el primer local abierto. La muchacha lo miró con calma. Comentaron el nombre chino del bar. De esa noche le queda una frase de María Alejandra: «Creo que la sensibilidad se puede construir, ¿no te parece?» Y con la frase una oscura percepción: esta era la muchacha buscada, aquella que lo incitó a consumir 400 kilómetros en un rato: ¿pero dónde estaba realmente ella? María Alejandra bebió con ansiedad. Eso y el efecto de las cervezas lo hicieron pensar que también ella esperaba algo de él, algo irrefutable e intelectivo: el esbozo de una cosmogonía, un chiste notablemente agudo. Él calló.

Durmió hasta muy tarde. La familia propuso una excursión, pero María Alejandra decidió quedarse con él revisando fragmentos de Proust. Trabajaron con agrado, él observó como casi nunca la muchacha hablaba con imágenes; sus palabras eran cerradas; significativas de otras palabras. A media tarde ella recordó que deberían encontrar algunos amigos, pero no volvió a mencionarlos. El hombre reconoció que en la casa disminuía el calor y, sin embargo, propuso de pronto que salieran. «¿A dónde?», murmuró la muchacha, y sonrió. Él pensó en una playa próxima o en el lago. ¡Ah!, claro, el lago.

María Alejandra no tardó en reaparecer, muy elegante; murmuró: «El domingo pasa rápido. ¿Por qué no retrasas tu viaje para el martes? Tendremos un lunes completo» y él tuvo el deseo de acariciarla lentamente, de quedarse con ella sobre el diván. Ahora le pertenecía el modo angular con que María Alejandra movía los labios, y también su constante sonrisa y sus bellísimas manos blancas. Pero salieron y ya en la avenida él supuso que María Alejandra desconocía cuál línea de autobuses los conduciría hasta el lago. Al azar tomaron uno, pero este giró en seguida hacia el norte: se alejaban de las orillas. Pronto resurgió para él una imagen conocida: la avenida Vollmer, el único café en el cual María Alejandra parecía saber moverse. Bajaron y se acercaron a la mesa de siempre. Todo lo que él intuyó al llegar, aquella oscura visión del desarraigo de María Alejandra, alcanzaba ahora plenitud. La miró frente a él, levemente reclinada la cabeza. Extraña muchacha, dulce. ¿Construir la sensibilidad? No, María Alejandra, no se trata de eso, sino de crear los elementos a los cuales debe envolver la sensibilidad. Eres tan joven: ¿por qué no conoces tu propia ciudad? Ahora él no quiere pensar ni adelantar lo que harán durante las próximas horas. Mañana partirá y ¿qué ha ocurrido? ¿Era esta la indefinible sacudida que buscaba? Coloca su mano sobre la de ella. Está oscureciendo y en el café encienden las lámparas. Los labios de María Alejandra, sonrosados, elásticos, formulan una frase indecisa y él la escucha con alejamiento.

–Sabes –dice ella–, el lago es sólo una palabra.

(1966)

FIDELIDAD

Es la historia de un personaje cuyo destino se altera en cada nueva línea que conoce el lector.

(1961)

EL RITO

En la Estación de automóviles que une todas las ciudades del país, los tres hombres coincidieron en una misma mesa. El saludo obligatorio de los desconocidos entre aquel interminable movimiento de personas es el primer signo de algo en común. Después, las respectivas preguntas acerca de los diferentes destinos; y finalmente, el vendedor de periódicos que se acerca con un paquete de diarios. La rápida mirada que todos dirigen al extremo inferior del vespertino constituye definitivamente la confirmación de que la casualidad que los reúne esconde algo más. En los rostros hay un breve movimiento de descanso: un amplio anuncio comercial invade el papel. Uno de ellos sugiere: «Es mejor no intentar demostrar nada, sino decirlo solamente». Pero los otros, aunque de hecho aceptan, prefieren pasar desapercibida la intervención. Alguien solicita un whisky, y cuando el mesonero se aleja, dice el nombre de la mujer. «Orzi.»

Entonces los demás concentran su atención. Hay una anticipación emocional que anuncia el momento de la revelación. Ninguno piensa que sus conocimientos acerca de un hecho puedan ser diferentes de los de otro. Tenemos una sola verdad, no hay dos aspectos en el asunto. Sin embargo, temen, aparentemente temen, que alguno se atreva a desvirtuar la realidad.

–Yo encontré el álbum de fotografías, que realmente no era un álbum, sino una revista. Esa noche permanecí varias horas despierto, en la cama, observando una página especial. Había dos retratos de Orzi. El primero ocupaba un gran espacio y representaba un trozo de campo lleno de girasoles. Producía una ascendente sensación de frescura. El rostro estaba difuso, pero los cabellos castaños eran inconfundibles. Más abajo surgía la otra reproducción: sin duda alguna reconocí su cara; estaba vista a través del espejo de un auto. Aun en la madrugada no podía escapar de la impresión de los heliotropos rojizos. Fue la tarde siguiente a su desaparición.

Los hombres permanecen en silencio; cada uno mira hacia un sitio distinto. Pero las manos, colocadas encima de la mesa, indican que nada pasa desapercibido para ellos; nada de cuanto se haga alrededor. Y cuando uno vuelve el rostro hacia la tabla, todos lo miran. Es un individuo maduro, de traje gris y corbata brillante, cuyos ojos sugieren completa frialdad para el tema que trata.

–¿Es usted fotógrafo, no es cierto? Permítame puntualizar sobre algunos detalles que considero importantes en el asunto. No piense que intento hacerle cambiar de opinión; sólo deseo que todo quede claro, evitar complicaciones. Si usted dice «Orzi» cuando se refiere a la muchacha rubia, tendrá razones privadas. Pero ella, en realidad, se llamaba Orziviela. Y lo que es más importante, me molesta que hable usted con tanta seguridad de las fotografías que encontró. Estoy seguro de que, a excepción de las necesarias para sus documentos de identificación, no se tomó jamás ninguna otra. Siempre afirmaba odiar a los fotógrafos. Creo que no leía los periódicos por no disgustarse al observar las ilustraciones.

–¿Y cómo explica usted la presencia de la revista que está en mi poder?

–No necesito explicarlo, señor. Usted está equivocado. Jamás podré aceptar que Orziviela comprase revistas de fotografías.

El fotógrafo observa al otro, impulsivo; en seguida cambia de actitud y comienza a mirarse las manos. «Es claro que este hombre es quien está equivocado. Orzi no pudo despreciar el arte fotográfico, porque eso nos unió. Nuestro amor fue sublime y ella sólo desapareció por un tiempo para comenzar otra vez. En estos días he comprendido lo necesario que es concluir con todo, para iniciar una nueva creación con los mismos elementos. Además, era evidente su pasión por los planos en blanco y negro... Aquella vez que estuvimos sobre un charco de petróleo casi me obligó a retratarla en medio del tráfico de las calles. Indudablemente, está equivocado; nunca pudo conocerla realmente. Ignoro, eso sí, quién pudo hacer las tomas que aparecen en la revista, pero de cualquier modo es ella. Y con eso basta.»

El hombre del traje gris se tranquiliza también. Pasa un muchacho negro con dos maletas y ropa ajustada. Otro viajero. Él podría interrogar al fotógrafo y obligarlo a decir lo que piensa sobre Orziviela. Sin embargo, mira el reloj, toma un sorbo de café y parpadea siguiendo la línea de la calle, que se aleja. Ya ni siquiera son necesarios los celos. La desaparición de Orziviela es la más exacta prueba de su muerte. Los extraños negocios a que se dedicó. Nunca pudo conocer de que se trataba. Sólo le duele recordar el momento diario en que ella decía «Tengo que irme». Nunca atendió a sus protestas. Se iba. Cuando quiso obligarla, amenazándola, a pasar todo el día con él, ella se ocultó por un tiempo. Al final, exasperado, tuvo que aceptar sus decisiones. «Estúpida manera de someterse a una mujer y quedar indefenso». Su amor, fuerte, común, lo había enceguecido. Pero ya no es necesario exaltarse. Soy un hombre tranquilo. Un hombre tranquilo. U. H. T. Sería absurdo preguntarles a estos dos hombres (porque sospecho que también el más joven sabe de ella) dónde la conocieron, y cómo. Pero es tonto hacerlo: pudieron haberla visto cuando niña en casa del militar. Orziviela está muerta; desapareció, y yo también desapareceré. Me voy hacia un lugar donde hay grandes sembrados y ríos. ¿Por qué tuve que abandonar alguna vez esos sitios?

Llegan nuevos automóviles. El fotógrafo se levanta y sale a averiguar la hora de partida. Es curioso que nadie haya hablado de su destino, a todos parece ser indiferente la región que les aguarda. El hombre más joven contempla al otro, que se aleja, y murmura con tono distraído:

–¿Dijo usted algo acerca de una muchacha rubia?

–Sí; ¿no escuchó acaso la conversación? Nuestro amigo el fotógrafo conoció, al parecer, a una mujer que amé. Estableció, sin embargo, una imagen equivocada sobre la personalidad de ella. Pero... ¿sale usted fuera del país?

–No, regreso a casa para descansar durante un mes; soy estudiante ¿y usted va hacia el sur? –Acabo de suponer que nuestros destinos son diferentes.

–Tiene razón, pero sólo iré al centro del país; me quedaré allí definitivamente. El fotógrafo, por el contrario, tiene aspecto de dirigirse al exterior.

«Rubia, este hombre ha dicho que eras rubia. Veo que nunca pudo, como yo, acariciar tus cabellos negros, ni imaginar que de noche tomabas la apariencia de un tigre, en el bar, con tus ojos brillantes y los mechones rojos. Todo lo que evoco de ti trae angustia, duele, y sin embargo tu franqueza es ahora más sólida: de pronto encuentro algunos de los seres de quienes hablabas. «No puedo vivir a través de un solo ser», terrible determinismo de tus frases. La evidencia trastorna la continuidad del tiempo: los encuentro, observo estos hombres, y siento lástima por ellos; aún se mueven bajo la irrealidad. ¿Cómo puede encajar tu rostro dentro de esa imagen descolorida de las fotografías, o en esa otra, insípida, de la mujer que no leía periódicos? Los perdono, estoy sobre ellos. Tú llegabas a mí, más poderosa, por tu propia fuerza. A veces dudaba de tus historias de amor: esta situación te devuelve al límite de la verdad. ¿Cuántos otros hombres como estos quedan aún en la ciudad? Y tú, ¿por qué elegiste la fuga como única solución? ¿Solución a qué? ¿A qué pudiste temer? Nada podía destruirte, excepto tú misma. Y esa sería la explicación válida: un nuevo abandono, ahora hecho por ti, de ti misma. Cuando regresé al apartamento, después de las clases, vi las tres pelucas sobre tu cama. Eso nunca había ocurrido antes. Siempre llevabas una sobre tus cabellos cortos. Y sólo ahora me inquieta tu terrible hábito. Sin alguna de las tres cabelleras postizas tenías que aparecer desfigurada; ya nos habíamos acostumbrado a ellas. Rápidamente registré las habitaciones; no estabas. Has desaparecido, y sé que no vendrás de nuevo. En el fondo de esta desolación sólo queda mi amor, y esos cabellos grotescos, sin significado. ¿Fue entonces la sensación de vacío lo que te obligó a desaparecer? Pudiste haber solicitado mi ayuda, aunque sé que no habría podido hacer nada por ti, excepto estar presente, incomunicable. Cuando se llega a esta situación nada resiste, y todo necesita ser empujado a través de una voluntad que se reduce cada vez. Contigo ocurrió lo mismo, pero la sensación de nulidad destruyó toda tu fuerza. No obstante, adivino que tú no has muerto. Vives en otro sistema de relaciones, otro universo, donde tal vez sea posible comenzar de nuevo... Es extraño estar en esta mesa donde todo aparece irreal, posible. Hasta puedo regresar a ti y hablar como antes. En este libro, dentro de mi bolsillo, un poeta antiguo dice frases que pudiera entregarte pero que nunca conocerás.

Sin embargo, están allí y pasan y regresan incesantemente: «Y he aquí la razón de mi vuelta... No pienses en nada por ahora. Te recomiendo, sí, que trates de asirte del ensueño y que, en tus delirios oníricos, pienses que retorné, que estuve a tu lado, que existí: que se hicieron valederos los preceptos del letargo, pero que, al fin, iniciado el camino de vuelta a la realidad, hube de hundirme en las sinuosidades de las cosas que en alguna oportunidad aparentaron ser algo más que simples representaciones cerebrales». No puedo precisar cómo te conocí. El fotógrafo murmuró, antes de salir, algo acerca de una mujer que se diluye cuando creemos conocerla, para aparecer distinta en seguida. Debió referirse a ti; y no estoy de acuerdo con lo que dijo, pero sé que tiene razón. Recuerdo también, desde luego, la historia que narraste en una de nuestras primeras noches. Es tu vida anterior, una extraña historia. (Un hombre uniformado viene y habla con mi compañero de mesa. Cuando se aleja advierto que es un empleado de la estación.) Pienso de pronto que la mayor parte del tiempo estabas conmigo. Estoy alegre. Por eso tengo una completa visión acerca de ti. Me acompañabas a la universidad, a los bares, al apartamento común donde te refregabas con mi cuerpo. Ojos poderosos, la sensualidad sobre la piel. Aquella tarde referiste el encuentro de la niña, abandonada en la ciudad, con un viejo militar. Allí creces y el viejo compra pelucas para conocerte nuevamente cada día. ¿Fue el primero, verdad? Eso lo silenciaste. Un día escapas y trabajas de noche en elegantes bares del puerto. No pudiste entregarte totalmente a los marineros; pertenecías a la ciudad. Tampoco, en verdad, hablaste nunca de las noches al borde del mar. Creo que suponías mi escaso apego a él. Y hoy...

El hombre del traje gris se pone de pie. Habla en forma entrecortada; dice que los periódicos no hablan de su muerte. Da un apretón de manos al estudiante. «Feliz viaje. Acaban de avisarme que es la hora de la salida.» Y abandona la mesa. Antes de llegar a la puerta, entrega unas monedas a un mesonero. Señala los vasos colocados en la mesa del estudiante, y sale.

En algún sitio debió cruzarse con el fotógrafo, que regresaba. «Debo esperar una hora más» murmura acercándose. Observa la cara del estudiante. Aunque no han hablado, tienen un tema conocido. Los dos escucharon las palabras del viajero que ya ha desaparecido. El fotógrafo hace comentarios acerca de la mujer, de Orziviela, conocida por el hombre del traje gris.

–¿Cómo pudo creer que Orzi odiaba las fotografías? Siempre fueron parte de sus entretenimientos favoritos. Claro, ella no tenía necesidad de mostrarse tal como era porque, en definitiva, sus intereses eran puramente económicos. Necesitábamos el dinero para nuestro viaje al África. Ella salió hace una semana y debe encontrarse conmigo.

«Eres extraordinaria, amor mío. Aún este cree que puede encontrarte; sé que has renunciado a todo porque los dos destruimos tu pasaporte y quemamos una noche, borrachos, todo el dinero. No dijiste que este fuera tan estúpido. Pero no diré nada, puede marcharse a donde quiera. Sólo le aclararé lo de la fotografía.»

–Ese hombre del traje gris, un estudiante y otro individuo, un gran pintor escandinavo, forman parte del truco que nos lleva a ella y a mí hacia la felicidad. Trabajaron para nosotros como esclavos, inconscientes y enamorados, mientras realizábamos un gran negocio; honrado, por supuesto.

«Sonríe, pero eso no puede ser. Entre nosotros el amor fue real; no había nada más allá. Sin embargo, ¿por qué nunca me habló del pintor escandinavo? ¿Acaso será ese el extraño personaje que la dominaba en sus sueños? Yo siempre lo tomé como un símbolo. Tal vez no se atrevió a decirme quién era realmente ella misma, qué pretendía, y utilizó el artificio de sus sueños para mostrarme algo de la verdad. Esto, en definitiva, indica algo de amor.

–Por favor, señor. ¿Hace un rato hablaba usted de algunas fotografías que aparecen en la revista ART? Yo creo conocerlas, y estoy enterado de las explicaciones sobre técnicas, modelos, etc., de cada número. Siempre toda referencia aparece en el número siguiente. De tal modo que si ha salido el número correspondiente a esta semana, allí deben encontrarse las notas de las fotografías que usted conoce. Por ejemplo, en ese puesto de revistas, pueden venderlo.

El fotógrafo agradece la gentileza del estudiante, pero afirma que no necesita ninguna prueba. Está convencido de que la modelo es Orzi, su amada. Ella misma se lo dijo. Esas fotografías estaban en relación con sus negocios. Entonces el estudiante se levanta, adquiere un ejemplar y lee: «Photographer Art Kane has this to say about his colorful picture of french star Jeanne Moreau whom he has photographed for *Esquire*: Jeanne was making a movie in Austria. I flew over to do a series of portraits of her. Her part in the movie called for head to be shaven, which it was when I arrived. This picture was short after the make up man kind enough to put a wig on her head».

El otro no responde. Cuando trata de hacerlo, el sonido de un altavoz señala al estudiante que es su hora de partida. Deja el ejemplar de la revista sobre la mesa y sale, sin prestar atención al fotógrafo. Afuera aguarda un vehículo y en él se introduce. El fotógrafo se coloca la mano sobre la frente. Un pregonero se acerca a la mesa y ofrece otra vez el periódico de la tarde. Mecánicamente, el hombre lo adquiere. Pide un vaso de licor, y abre el diario en la parte central. Una noticia expuesta en grandes titulares atrae violentamente su atención. El encabezamiento dice: «La policía persigue a tres mujeres por el asesinato de un pintor escandinavo». Y en letras más pequeñas: «Una de ellas cometió el crimen en el pequeño apartamento donde habitaban».

LAS OTRAS MIL SELVAS Y CIUDADES DE ORO

18 de mayo, 1968: Y esta vez ¿qué esconde el influjo de esos dos colores? Amarillo sobre otro matiz tostado. Una muchacha los lleva en su suéter y en sus pantalones ajustados. La he visto pasar por la esquina próxima; cruzo la calle y sé que, aunque decidiera acelerar, no podría hallarla: la dirección del tránsito me impediría seguir tras ella. Esa muchacha desconocida desaparece allá, entre la gente y los letreros de las tiendas. Voy a la oficina: el lugar donde he sido más feliz después de haber dejado la Universidad. Ahora estoy frente al edificio blanco de la Biblioteca Nacional, esperando que la señal del semáforo me dé paso. Hay calor y una excesiva luminosidad; lloverá. Pregoneros, mujeres que han salido de compras; hombres apurados. Bullicio. La ciudad fluye en esta esquina durante los segundos de luz roja que detiene a los automóviles. El motor de mi auto amenaza un momento con apagarse. Le doy gasolina y sostengo el pie sobre el acelerador; algo está fallando, esta misma tarde lo llevaré a revisar. Desde el cine de la esquina sale un grupo; veo con ansiedad todos los rostros, los gestos: ninguno está dirigido a mí. Concluye la función de la mañana y los espectadores endurecen el rostro: el sol de mediodía quema la suavidad de las imágenes que traen desde la pantalla. Miro otra vez hacia la Biblioteca. Muy cerca de mi brazo, el cuerpo oscuro y violeta de una ceiba; las rugosidades de su sombra –perforaciones, texturas sólidas– despliegan también en mí un leve sonido: me llevan a algo desconocido, a un incierto efluvio que parece tocar el dolor. Dura el semáforo y los cuerpos caen dentro de su propio movimiento como formaciones de piedra blanca. Luz, ciudad dentro del pensamiento. Desde aquí compruebo que la muchacha desconocida se ha devuelto; ahora está observando una vidriera. Su silueta conjuga los dos colores: el suéter amarillo y los pantalones tostados. Pero no es a ella a quien miro; un movimiento hondo arranca de mi piel, me obnubila y diluye la presencia de la muchacha. Una desconocida; esos colores. El ardor de la luz me conduce a residuos psíquicos tan secretos que se atraviesan ante mi pensamiento y no logran ser definidos. Y esos sedimentos giran en las vastas sonoridades de imágenes desconocidas. ¿Qué se esconde? ¿Una piel joven y el torso desnudo que besé por última vez hace un día, en el lecho? ¿O hay allí una ciudad del interior, inmóvil y desierta? ¿Será la plenitud de un lenguaje arduo y completo, aún no convertido en palabras, lo que aguarda? La ceiba también desciende: se riega en el pavimento de la calle; son suyos los rasgos verdosos que los rostros adquieren al pasar. A lo lejos, la muchacha se asoma a la tienda. Ya no logro desatarme de esos colores que envuelven su cuerpo. El mediodía, los matices de miel en aquellas ropas; cómo debilitan mi voluntad. Ya va a cambiar la luz del semáforo. Seguiré hacia la oficina; pero habré de volver a esta zona de la

Biblioteca. Este es el lugar; aquí debo gastar, comparándolas con la ausencia sucesiva que permanece tras ellas, las evocaciones y percepciones de hoy. Tres años pasando a diario por este sitio y sólo de pronto adquiere complicidad una nueva dimensión. Voy a acelerar y a continuar; ambos colores recorren otra piel, la de mi cuerpo, inversa, y allí recubren emociones que creía vencidas: el lento vacío. Me espera la oficina; su red de actividades.

Cambió la luz del semáforo. La gente se irrita al parar. Yo adelanto a los demás conductores, tomo la calle que lleva al lugar donde se encontraba la muchacha; pero allí no hay nadie. Acelero. La luminosidad del mediodía es un fuego indeciso entre los edificios. Busco una palabra o una frase para extraer de lo profundo esta forma del dolor: nada viene a mí. Y de pronto sufro más, sufro por la ardorosa fugacidad de esos colores. La claridad penetra bajo la piel. Enceguezco; ni siquiera el silencio es expresión.

25 de septiembre de 1965: Hace diez días vi a Laura por última vez. Nada ha pasado: estaba seguro de que esa muchacha morena y delgada, cuya boca he besado tantas veces, seguiría conmigo. No ha llamado, no me busca. Y en su casa contestan siempre «No está», sin explicaciones. Hasta hoy ni yo mismo sabía de su abandono. Siete días de ausencia no me parecieron extraños: ampliaban aquellas dos o tres noches en que hemos estado sin encontrarnos, antes. Diez días. Los últimos exámenes en la Universidad, el acto de graduación hoy, etc., todo me distrajo. Al ingresar a las pruebas o casi al dormir, la imagen de Laura venía y mi propio amor hacia ella se entregaba a otro mundo, seguro de su reciprocidad. «Estará pintando, habrá llamado y nadie me lo dijo;

preguntaré mañana», cosas así pensé cada vez; y me dedicaba al examen o al sueño. Pero hoy ha terminado el curso. Salí del último informe y pasé a llenar planillas para solicitar empleo.

Es de noche. Hace poco entré a mi cuarto. Afuera están mis padres y los familiares que llegaron del interior, dispuestos a celebrar. La fiesta de graduación. Ahora, solo aquí, redescubro los gestos de Laura; sus movimientos tímidos pero irrevocables. La ligera dificultad para pronunciar la «r». Y, sobre todo, sus ojos y su pelo negro sobre la frente. Casi un año juntos: el tiempo suficiente para aceptar la temeridad de lo continuo. Casi un año escapándonos cada semana a la playa o dejando transcurrir los domingos en algún parque. Laura, incapaz de trabajar y de mentir: ambigua; Laura, levantándose tarde y segura de que pintar es como tocar alguna zona oscura de los dioses. Esta mañana advertí realmente su ausencia. He llamado tantas veces a su casa que ya no me atrevo a hacerlo más. De algún modo debe haberse enterado de esta ansiedad. ¿O habrá salido para Valencia, como sugirió hace un mes? Cuando hablamos por última vez quise decirle que casi teníamos un año juntos; quise demostrar cómo encierro mi vida en cuanto evoco a partir de entonces. Pero no hablé: preferí esperar la fecha exacta del aniversario. Dentro de 27 días hará un año.

Escucho los sonidos de los vasos y el hielo; han comenzado a oír discos. Amigos y familiares, la felicidad. Me esperan, pero dedico algunos minutos a revisar mensajes escritos por Laura; los hallo dentro de mis carpetas. Miro cuidadosamente su foto, bajo el cristal del escritorio. Tengo un dibujo y un cuadro suyos en las paredes. Imposible dejar de pensar en la tarde cuando me los entregaba: con ironía, con temor; como si no fueran para mí. Es posible que Laura aparezca a última hora; a lo mejor estoy inventando esta impresión de final. Sin embargo, no alcanzo a contener una agobiadora anticipación. La debilidad viene del futuro, de las próximas horas: del miedo a constatar su olvido. Arrojo la camisa y la corbata sobre la cama. Me acerco a los estantes de libros. Nombres amados; releo palabras escritas por aquellos que ya explicaron y desconocieron el tormento. Y de pronto toco la superficie brillante de un álbum de reproducciones. Es el libro de Rembrandt que Laura me dio al conocernos. «De él aprendo –dijo entonces–, busco su escritura en esos colores que más utiliza: en el rojo y el amarillo.» ¿Cómo pude perder esas palabras? Su sonoridad avanza ahora y me envuelve. Es cierto: Laura, rosa y amarillo. Tus colores. Los encuentro en el cuadro, se deslíen en la habitación; pasan sobre la imagen de tu rostro y están en mí. Laura: cuerpo de oro y rosas. ¿Dónde se escondía esta destructiva sensibilidad para los matices? Nunca vi esos tonos: los trae tu ausencia. Rembrandt maldito: Laura.

A los discos se suman las voces; mi hermano llama a la puerta. Me excuso un momento y tomo otra vez la camisa. Una esencia que desconozco anuncia que el amor de Laura ha terminado. Es tarde; ya no vendrá. Descubro su olvido en la profundidad con la cual corrientes rojas y doradas sustituyen mi verdadera vida.

Voy al estante y cierro el libro. Es en mi mente donde circula una silenciosa lámpara cuyo fuego debe ser el amor. Esa luz hinca mi corazón. Laura no vendrá; me corresponde la fugacidad y esa ineludible coherencia de la eternidad: los colores de Rembrandt. Ahora sé que no amaré de nuevo a través del arte; así no haré significativo el olvido. Estaré alerta para evitar que la belleza contamine las formas de mi afectividad. Ahora me visto y saldré a la fiesta: tan alegre como debe ser. Rechazaré las vacaciones, aceptaré la primera proposición de empleo. No los hago esperar, llamo a mi hermano; él entra y habla del brindis, que ya va a comenzar.

Carta a Tlilt

Debes saber que sólo otro viaje me ha marcado como este; y tal significación la ignoré aún mientras estaba contigo. Fue necesario regresar, volver a mi país para reconocerte. Desde hace una semana leo, consulto y trato de memorizar textos que he conseguido en la Biblioteca del Banco. Mi oficina de programación industrial estableció el contacto con México –fui yo el elegido para asistir a la Conferencia, fuiste tú quien debió recibirme, guiar ese inicio en la ciudad– pero también la oficina me alejó hasta ahora de los conocimientos que tú convocaste para mí: el aprendizaje cuyo proceso me obsesiona en este momento.

Regresé hace una semana (aquí abril decae, días frescos y un súbito calor) y no obstante, sigo viendo a Augusto –nuestro gran amigo– que pasa a recogernos; y sigo viendo la imagen terrible del niño, su hijo: me aturde. Porque, sin aclararlo, yo sé cómo pensaste aquel día que el muchachito no serviría sino para molestarte y llorar: eras la única mujer durante el paseo: él iba a aferrarse a ti, a fastidiar desde el comienzo. Pero no fue únicamente así: Augusto llamó al hotel muy temprano y luego se retrasó; tú estabas conmigo porque era el último día. No sabíamos que había cambiado la idea de viajar en el bus: otro amigo le cedía su Volkswagen anaranjado. Llegó de pronto, acompañado por el niño. Entonces comprendimos que esa media hora perdida se recuperaría con facilidad en el auto. Tú pensaste que el pequeño arruinaría tu paseo: eras la única mujer en el vehículo: su mirada te buscó en seguida con ahínco.

La Conferencia habría de durar una semana, y en ese lapso no quedé libre de trabajo sino para establecer otras conexiones comerciales, para cócteles (al fin y al cabo, más trabajo). Por eso viajé tres días antes; y realmente no creí que te entusiasmara el aviso de mi presencia en la ciudad. Dudé para buscarte. Tenía tu nombre, tu número: tú ibas a esperarme poco después. ¿Por qué no? No sé exactamente qué esperabas de mí: pero yo intuía en ti todo lo contrario de lo que eres. Al aceptar verme –y justo en ese sitio, un Vip's– creí que me someterías a un banquete turístico, a un exceso de mariachis y de espectáculos frívolos. Después comprendí que también tú esperabas el inicio de la Conferencia con cierto asco: ese viernes de mi llegada nada pareció estar tan a punto como tu deseo de abandonar la ciudad. Ahora me inquieta tu confianza, la manera como me seguiste (aunque eras tú la que establecía itinerarios, quien decidía: viéndolo bien, debí ser yo el precavido) hacia pueblos y zonas alejadas. Por lo tanto, tres días antes de la Conferencia –ignorante de la ciudad, del asfixiante aire opaco– yo tenía revisados Puebla, los escondites arcaicos de Cholula, una iglesia cuyo oro oprime en Tepozotlán, la H del juego de pelota en Tula, ciertos frescos de dieciséis jaguares blancos que bordean la pirámide allí y, por último, la expresión indescifrable de los colosos en lo que fue el templo. Antes, jamás había sabido nada de esto o lo sabía con una ignorancia total. Debo reconocer que tampoco di importancia a tu mirada, a tus silencios, a ese extraño empeño en detenerte delante de cada cosa tanto tiempo. Te juro que lo tomé como una especial coquetería mexicana: después de todo tú venías de Chihuahua, eras tierna y alegre, conocías cómo recibir a muchos otros conferencistas. Pensé que te equivocabas con mi apariencia: los anteojos no garantizaban interés por el pasado indígena. Pero yo estaba seguro: orientaría tu juego: después iba a aprovechar y no importaba la tardanza. Ahora quiero saber –tu respuesta va a ayudarme mucho– si conocías realmente el significado de las piedras, de los senderos. ¿Qué leías allí, silenciosa y dulce? ¿Te interrumpía con mis palabras, con mis besos del comienzo? ¿Turbé tu concentración, construí el error, lo inevitable? Insisto en decirte –como ya lo hice aquel día durante la tarde– que no sabía quién era Cuauhtémoc ni el dios blanco.

Tu entrega, tan natural y absoluta; tu desinterés; los escasos datos acerca de esa zona del norte donde has nacido: cómo hechizaba cada misterio en ti. Mi dificultad con la «l», para pronunciar tu nombre y tantos otros. Como seductor, en tales momentos no me importaba tu obsesiva recurrencia a la mitología. El día antes de inaugurarse la Conferencia comenzaba a saber –sin darme cuenta– nombres de guerreros y dioses, leyendas. En esta carta sólo añadiré algunos detalles que también tú manejas pero que no indicaste: constituyen el botín de mis investigaciones aquí, en la Biblioteca del Banco. Quiero decirte sobre la diosa de la inmundicia, sobre el collar... Ya verás.

La semana de trabajo nos permitió conocer a Augusto; en nada se parecía al que descubriríamos después: se inició como un funcionario eficiente, alto y barbudo, envuelto de lunes a viernes en suéteres muy actuales. Coordinaba las discusiones y se encargaba de redactar informes, al final. El azar colocó mi asiento al lado del suyo. Con alguien quise compartir la extraña atmósfera que tú, Tlilt, me imponías; con alguien quise distribuir mi carga de bromas hacia tu nombre y los nombres de los dioses, y Augusto se interesó en seguida. Puedo verlo de nuevo, como al principio: sólo encargado de indicar, de señalar ajustes, de obligar sutilmente a seguir instrucciones. Sentirlo al lado, fumando y fumando. Debió llamarme la atención su manera de hablar, exageradamente baja, el riquísimo vocabulario, los libros que cambiaba vertiginosamente entre la mañana y la tarde, como si los devorara en un momento secreto.

Correspondió a mis señas sobre ti trayendo algunos dulces de Puebla; el tercer mediodía, al compartirlos con café y tacos, supe que prestaba una colaboración especial de la Universidad a la Conferencia y que había publicado un libro de poesía. No retuve el título la primera vez (próximos al final de la excursión, más tarde, recordaría: *Las llaves*) y él habló con cierto desenfado de sus dos divorcios, de su actual esposa y su hijo. ¿Era posible en un hombre casi adolescente esa vasta experiencia conyugal? ¿Deriva de allí algo de su sorda serenidad?

Como sabes, al final de la semana éramos amigos. Sin quererlo, yo mismo te había dado un inesperado enlace con tu más amado tema, la mitología azteca. Concluyó la Conferencia. Augusto quiso celebrar mi último domingo en México y decidió reservar pasajes en el bus que saldría al amanecer para Teotihuacan. Algo dijo sobre el lugar de los dioses; estoy seguro de que no hice mucho caso: todo me interesaba sólo por ti. También hoy recuerdo que hasta entonces las alusiones de Augusto a esa tradición divina fueron escasas: caminando te hablaría de cosas asombrosas.

Estuvimos con él y Catrina, su mujer, hasta la madrugada. Sentí un poco incongruente ese trasnocho para el viaje de la mañana, pero acepté complacido. ¿Qué gesto tuyo, qué satisfacción de tu mente no era –ya– todo yo? Catrina y Augusto leyeron cosas de Virgilio. Pocos asuntos desconozco más que el latín (jamás lo había escuchado de cerca). Cerveza, cigarrillos y voces parecían superficies compactas. Creo que me reí un poco de todo. Luego viniste conmigo al hotel, y al amanecer Augusto llamó para avisar que nos recogería. Su demora se debía al vehículo anaranjado que alguien le prestó. Catrina estaba algo mal, prefirió dormir. Mi sorpresa culminó en leer tu pensamiento: ese niñito que Augusto trajo nos arruinaría el viaje. ¿Cómo se le ocurrió? El chico saludó con vigor, sonrió desde el primer momento y su rostro tan dulce impedía no dejarse conquistar. ¿Tenía tres años? Un sombrero le ocultaba a veces los ojos.

En efecto, Augusto y yo adelante y el niño envolviéndote, detrás. Menos pausado, Augusto hablaba de la lenta aproximación de las afueras: México dura casi con molestia mientras uno desea ver la tierra. Faltaba gasolina y nos detuvimos un momento a llenar el tanque. A partir de allí, el amigo cedió ante el poeta. ¿Recuerdas con qué singular hermosura habló Augusto de que el escritor no puede ser simplemente hombre, sino que debe desarrollar en sí mismo un segundo hombre, y hasta un tercero? Era una espléndida y compleja teoría estética. Yo lo miraba atento: sé que tú no podías seguir sus palabras: el niño atentaba contra tu codo, y lo mordía.

Caminos, paredones y campesinos lentos: algo que creo haber visto en viejas películas. Un dulce color en las cosas. Luego, lentamente, paisajes de colores áridos, interrumpidos apenas por el *maguey que se abre a flor de tierra, lanzando al aire su plumero,* y el pirú, desdibujado, soñoliento. En un brusco viraje y a una señal de Augusto, vi las pirámides en la distancia. Él dijo: «Teotihuacan».

Una emoción vislumbrada sólo una vez antes me oprimió por un instante: casi no la advertí. Tú, Tlilt, hablabas de Coatlicue, la diosa que más conoces, cuyo poder absorbe lo oscuro y lo terrible, cuyo poder genera dioses y tierra. Te escuché como remotamente: el movimiento del vehículo, la proximidad del mediodía y esas desconcertantes filas de magueyes ocultaron de nuevo el anuncio de las pirámides.

De ahora en adelante, Tlilt, no sé muy bien cómo escribirte. Mi carta se alarga y te cansa; tal vez busqué eso para que no advirtieras el pobre efecto que te causará mi exposición. Quería repetir los hechos de ese día e interpretarlos, tal como los veo hoy. Pero no será posible. No tengo palabras para moldear ambas cosas; algo vertiginoso llega otra vez.

Voy a mezclarlas simplemente. Escríbeme pronto, ordena todo tú, aclara las cosas. Dime qué ha sido de Augusto, cómo viven ahora él y Catrina.

El mediodía en Teotihuacan. Abril no permite calor pero arde el aire. En ese pequeño restaurante de la entrada, Augusto compró un collar para su hijo, el niño saltaba feliz, distraído por la llegada y por su nuevo juguete. Bajo el sol, abierto el pelo, sé que tú y yo lo admirábamos como a un dibujo móvil. Algo indeciso, los seguí hacia el templo oculto tras las rocas. Augusto hablaba como un guía que sueña y tu silencio era el rito final. Allí estaba la roca convertida en belleza y terror: la serpiente emplumada repitiéndose, cambiando de lugar dentro de la quietud, asombrosamente simétrica como nosotros. Quetzaltcóatl. Atravesamos el pequeño pasillo. Hubo un largo trueno que sólo tú notaste al comienzo. ¿Iría a llover?

A nuestra izquierda el cielo era negro. Pero la fuerza del mediodía alejó cualquier posibilidad de interrumpir el paseo. El niño corrió, nos llamó hacia la escalinata; con lentitud comenzamos a andar. Calzada de los muertos, distancia conjetural casi neutra. ¿Qué nos separaba al reír?

Aquí, después, he aprendido, Tlilt, que en aquellos lugares –hace siglos– los niños elegidos estaban dedicados al nacer: a la guerra o al dios. Mis investigaciones señalan que tú has podido ser, Tlilt, la amiga dulce u otra cosa: la última, Chimalma: porque tú cerrabas nuestra fila durante la caminata.

Protesté al rato, temí que el niño se cansara o que le afectara el sol; parecía exageradamente enrojecido y tenso. Tú nada dijiste; en cierta sonrisa de tu rostro leí que no querías cargarlo otra vez. ¿O es que la soledad en ese camino impide cualquier acercamiento?

En escorzo, vi la pirámide de la Luna. La luz nos cortaba. Augusto sacó milagrosamente una bolsita de «alegrías», devoramos las semillas azucaradas. En seguida nos invitó a subir. Tú, Tlilt, iniciaste la carrera (hoy comprendo que debías estar antes arriba, precedernos). Te perseguí con ganas, escalón tras escalón. Augusto tomó en sus brazos al niño y lo vi ascender con lentitud. Tú ya estabas en el extremo más alto cuando yo llegué: tuve el tiempo justo para mirarte y caer. Me tendí, exhausto por el esfuerzo, azotado por la vertiginosa sucesión de los escalones. Pero sobre todo, anhelante y asfixiado: volvía la impresión de trasnocho, un desesperado deseo de vomitar y desaparecer. Sentí que me tocabas, dando un poco de aire. ¿Cuánto tiempo tardó Augusto en llegar? Esa debilidad esencial, no me la perdonaré; al rato, con calma, comencé a escuchar las voces de algunos turistas que muy cerca cantaban y gritaban, todo en broma. Giraban en círculos, saltando.

Levanté la cabeza; el sol dejaba el centro, fundía los contornos de piedra multiplicando las manchas de leopardo en la tierra y el cielo.

A lo lejos, la gran calzada simétrica y hormigueante devolvía claridad contra claridad. ¿Quiénes corrían en la distancia, abajo? ¿Hombres, sombras, simples viajeros? Un último vértigo oscuro me entregó la claridad del mediodía. Tu mano tocó mi cuello: devolví el gesto con ternura: mejoraba. Pero hoy sé que no estabas conmigo, y que presionabas como adelantando la señal definitiva. Augusto se acercó sonriendo, quiso bromear por mi malestar. El niño pasó de sus brazos al piso de piedra. Sobre nosotros un cielo imprecisable ardía. Tu mano recorrió mi hombro: la voz de Augusto interrumpió el comentario y cierto grito múltiple acudió desde el grupo que antes cantaba. Sorprendido, inocente, quizá atrapado también por la vertiginosa claridad, el niño corrió desde nuestro sitio hasta el borde más alto de la pirámide. No encontraría escalones ni asideros. Corrió, riendo, y saltó seguro de su liviandad. Augusto rugió. Todos nos lanzamos tras del niño cuando cualquier gesto era imposible: sobre el contorno voraz el cuerpo se rasgaba y la sangre interrumpía el eterno color de la piedra.

Ella nunca cierra los ojos

A Dalita y Carlos Enrique Reyna

De una isla a otra, todas las diferencias. Diez horas viajando convertían el gran lago en sol fundido, en minerales abruptos, en opaca superficie, en costumbre. Al arribar supo todo lo que iba a encontrar: saludos, sorpresas, la necesidad de ponerse al día sobre muchos acontecimientos (cosa completamente ajena al interés que pudiera sentir hacia las diversas historias). Vinieron sus tías, un hermano con el camión grande y, sobre todo, los chicos. Niños oscuros, sonrientes y ariscos. ¿Guardaba su sangre –sus hermanos– tal capacidad para resolver lo absurdo, para tener tantos hijos?

Cada año, en vacaciones, viene desde la otra isla; ya es una tarea definida su labor con los indios en agosto, y dentro de una semana volverá a visitarlos. De manera extraña, desde el primer día sintió que la temperatura lo golpeaba. Entre dos y tres de la tarde, el sopor resultaba absoluto. Ni aire ni sonidos. El lago untando con exasperante tibieza cada cosa. Dentro de su casa el calor casi hería y la selva entera –realmente sólo algunos árboles, el caimito, las palmeras, bejucos y ese exceso de flores que adormecen con su olor: las habanas– se inclinaba contra las ventanas impidiéndole respirar. Nadie más notaba esto: se preguntó si no sería cosa de los años, de la edad.

Liberarse por varias semanas de la oficina y tener esas horas densas, imprecisas, para centrarse exclusivamente en lo que debería ser su reacción definitiva hacia Linda, fue lo adecuado. Por eso vino con anticipación, por eso ha huido. ¿Por qué tiene la suerte de encontrar siempre alguien a quien no le importe conceder su cuerpo o de amar justo a quien sólo interesa desplegar cierto coqueteo intelectual?

Dos años con Linda, bordeando una complicidad para sorprender lo más profundo cada vez; dos años que cambiaron la visión cotidiana del tiempo, en cada encuentro. Y todo para descubrir que Linda sigue, y lo omite, carente de significaciones porque cualquier otro ser ya lo está borrando de su imaginación. Esta vez no pudo admitir esa forma de la crueldad. Se niega, definitivamente, ha venido para confirmar, solo, una decisión que ya intuía: desconfiar de Linda, de su aparente inocencia, de la insólita manera como dice aun lo cotidiano; desconfiar hasta de su juventud. Hay que cortar, ahora, los síntomas sublimados de esos límites, de la vanidad.

Algunas horas aquí, en efecto, y Linda concluye. Su imagen será una acechanza posible, día a día, cuando regrese a la otra isla. Pero aquí se disuelve, termina por ser un dolor no identificable después de la quinta cerveza en un bar. Lo que más arrecha es eso que le debe: su singular dulzura, una mirada que sabe prevenir los gestos. ¿Cómo aceptar que el hallazgo de un ser definitivo se convierta en otra equivocación, en nuevo episodio transitivo, cuando ninguno lo es? Pero también vino a trabajar en algunas notas sobre pintores (apenas comienza como reportero; como crítico de exposiciones) y eso puede ayudar para no someterse a la imagen de Linda.

Ahora dispone de la mesa grande, que prestaron sus tías; ha colocado la máquina de escribir y se protege de algunos visitantes con la pared baja que divide el comedor. No se atreve a pedir que retiren las flores (trinitarias, rosas, habanas) porque tía las coloca para él muy temprano en la mesa. Parte de la borrachera con que ve llegar el mediodía viene de ellas. Toma café, no desayuna y empieza. Ya ha revisado el esquema para los dos pintores. Lezama y Bejarano, tan distintos. Ha leído en la movilidad cinética de Bejarano reflexiones sobre el color que sustituyen pieles, serpientes, tambores. Una nueva etapa en él. Para Lezama, a pesar del rojo y de las oposiciones duras –o quizá por eso– encuentra una mirada submarina. Líneas y sugerencias vienen a Lezama como las noches que un pescador ilumina mar adentro con su linterna.

Debe llegarle una carta desde la otra isla. Ya avisó a la viejita del Correo, para que recuerde su nombre. Trabajará en el día y gastará las noches durmiendo temprano o yendo a cualquiera de esos bares, poblados por hombrecitos borrosos.

La mesa grande y el comedor dan hacia la parte posterior de la casa. Todo –siempre lo olvida– es inmenso, un poco desproporcionado: demasiadas habitaciones, puertas excesivas, el techo tan alto. Al acostarse parece flotar en la distancia que separa una pared de otra. Desde aquí, mientras escribe (mientras piensa escribir) una reja con tela metálica lo protege de los zancudos y deja entrar algo de aire. Al fondo ve palmares y racimos. La primera vez, la misma tarde cuando llegó, no estaba seguro: quizá era un error creer por completo en la imagen que posiblemente venía deformada entre bejucos y hojas: pero alguien pasó mirándolo fijo, forzando esa mirada para que sus ojos percibieran el brillo, el llamado de los otros ojos. Un traje medioluto y la figura algo gorda.

Nadie pudo informarle en casa, el segundo día, quién podría ser. Pero esta otra tarde, en el camino de los árboles, al fondo, hacia la nueva carretera, pasó dos veces la mujer. Cuando la descubrió parecía parte de la modorra, del calor. Llamó a su tía, para que también la viera: inútil, la inmovilidad de su hamaca indicaba un sueño pesado. Definitivamente, comprobó ahora, la figura es gorda y sobria; blanco y ocre el pelo; muy arrugado el rostro. Sólo una levedad juvenil en el paso elimina su edad. Otra vez lo condujo con la mirada: seductora, fija y convincente, estrecha. No pudo evitar cierta idea de coquetería, de anhelo carnal en ella, que le pareció incongruente con la edad de la mujer. Aquí cada casa está separada de otra, y de los puertos de las casas, tan separados a la vez por la carretera vieja –delante del pueblo– que es casi imposible ver gente durante horas.

Fue al Correo; no había llegado la carta del periódico. La viejita lo saludó, excusándose y con ganas de hablar. Pensó entonces que tal vez ella sabría. ¿Una mujer mayor, algo gorda, vestida de luto? ¿En las tardes? Nadie así vivía en la isla. La viejita del Correo pensó, extrañada. Hablando, derivó hacia la muerte de Alberto, el hijo del italiano. Una semana atrás el muchacho de catorce años se había ahorcado a las cinco de la tarde. En la mañana cortó algunos ramos y palmas y los colocó sobre la mesa principal de su casa. Sus hermanos se burlaron y él pidió que mantuvieran esas cosas en la mesa. No almorzó, recorrió la costa, los puertos. Como a las tres, cuando la gente de su casa dormía, desapareció. No se dieron cuenta sino en la noche; buscaron y nada. Hasta a casa de la maestra, la última casa del pueblo, fueron, y la maestra no sabía nada: casi nadie la ve desde hace quince años. Pero entonces hallaron al muchacho colgado, en el patio, como mirando hacia su propio hogar. El adolescente pendía de un árbol viejo, sobre las tupidas macetas, en el zumbido de los zancudos y las mariposas nocturnas.

Y entonces la viejita del Correo se golpeó la frente: ¿no sería la maestra, esa mujer que él mira pasar por las tardes? Ella es así, algo lenta, llenita, con trajes de flores menudas. Pero hace años que nadie la ve. Y él recordó su primera maestra: una mujer sosegada y triste a quien había olvidado desde hace veinte años. ¿Sería ella? Ahora la viejita informa: la maestra recibe el cuidado de algunos familiares, pero vive sola y silenciosa; tiene mucho tiempo jubilada. Cada semana un niñito del pueblo trae al Correo una carta de ella y la envía.

Nunca van esas cartas a otro lugar de la isla ni a otra isla. Tienen direcciones de países extraños y remotos. Luego, las cartas son devueltas, porque carecen de destinatario. Quizá, ahora mismo, dice la viejita inclinándose, haya aquí uno de esos sobres devueltos.

El tercer día, ante la máquina, no pudo con el texto sobre los pintores. El silencio preparado por las tías condensaba cada paso del viento entre los árboles. Intuyó que ella aparecería y quiso definirla a plenitud. En efecto, antes de las dos pasó, como en una leve carrera. Él se ha levantado y la observa caminar, mientras se voltea. Logra identificar los rasgos: es su noble maestra, aquella mujer dedicada a los niños, al trabajo; una figura quieta que se apoyaba sobre el cuaderno señalándole un número; la maestra, soltera, solitaria, tan vieja como los fundadores del pueblo. La vida más esencial, más tersa: ella. Pero ahora la luz presta algo diabólico o sufriente a esa mirada. Burla y crueldad parecen transformarla.

Más tarde, la viejita del Correo dice que no, antes de que él pregunte por el mensaje de su periódico. Sin embargo, muestra un sobre blanco, largo, e indica que es de la maestra: de un mes atrás y él concede que lo olvidó ayer, después de la conversación. En un segundo sabe que irá. Al final del pueblo, donde la costa hace un círculo y el lago se espesa, abatido por guamos y por tupidas boras, está la casa de la maestra. Acepta el sobre; lleva un nombre y una dirección extraños. Ya oscurece, pero aún el día corta los ojos con su absorbente blancura. En su casa renacen las actividades, el hábito de la cena. Mira a sus tías y a sus hermanos desde la carretera, y sigue. El mínimo pueblo bordea la orilla del lago. Camina; se puede ver caminar dentro de densidades verdes, reconocer la casita en la distancia y adivinarse a sí mismo mientras iba, a los diez años, hacia la Escuela.

Pero en casa de la maestra otra mujer, delgada y tenue, viene desde la sala. Alguien del pueblo que la ayuda. Lo saluda con seguridad, y eso sorprende un poco, porque nunca se han visto. Como lo esperaba, la noche cae con rapidez. Antes de entrar apenas ve a sus espaldas un poco de fuego que el lago consume: la puesta de sol. La mujercita dice que la maestra lo esperaba. «Supo de su visita al pueblo y ha dicho, entre sus fiebres y el delirio, que usted vendría. Pero no quiso que lo llamáramos. Creo que está muy enferma, muy mal. Sus familiares salieron hace poco a buscar al médico, otra vez. Hace ya un mes que no se levanta».

En la habitación, algo enrojecida, la figura exacta: es ella sobre una cama. El largo pelo castaño, la boca cerrada en un gesto de dolor (o a punto de sonreír). Parece dormir. La mujercita sale. Y entonces en la penumbra la maestra respira hondamente. Él la llama con suavidad; al comienzo ella no escucha, luego parpadea y se sorprende al mirarlo. Murmura algo: anda mal, el corazón. Ahora sus ojos brillan, como si vigilara atentamente. El aire pesa en la habitación. La maestra puede estar muy grave. Quiere devolverle el sobre, pero ella pide que se acerque y con esfuerzo va susurrando: «Creo que eres tú; no te conozco pero la carta es para ti. Siempre te escribo. Estoy muy mal, esta enfermedad aumentó hace poco, me indicó hace tres días tu llegada». La mujercita entró con una taza; le pidió que callara y quiso obligarla a beber. Sólo una lámpara muy débil distribuía la oscuridad. Él pensó huir, con el sobre. La maestra miró dulcemente. ¿Qué había en esos ojos?, ¿desde dónde llegaba su luz? La mujercita dijo: «Ella esperaba que usted viniera. En aquel escaparate hay una cosa para usted», y trajo algo como un saco de henequén. La maestra parecía sonreír.

Murmuró aun: «La hice yo misma, casi tiene mi edad. Llévatela».

Salió a plena oscuridad, consciente de la dulce noche, tenso al pensar que la maestra iba a morir antes del amanecer: esa última lucidez de esos momentos... Mientras se alejaba, vio llegar un automóvil ante la casita. Agitación de enfermeras. Atravesó el pueblo (o el lago o la noche) y ya en casa se encerró, evadiendo con bromas la cena. En la habitación pensó por un momento qué habría en todo aquello, qué significaciones añadiría, qué engranaje (o error) hacía coincidir sus vacaciones, la isla, Linda y su abandono con la carta y la muerte de la maestra.

Primero abrió el sobre. Un breve texto escrito a mano, saltó, sin fecha. Parecía muy antiguo, y lo leyó: «Ella es todo lo que amas. Es una parte mía, aquella que sólo concede la felicidad. Acéptala contigo para siempre. Se llama María Sueños».

Y entonces, primero con aprensión, pero luego dejándose invadir por su colorido, por la luminosa seguridad de su presencia, extrajo del oscuro saco una bellísima muñeca. Azul el pelo, vibrantes los ojos y la sonrisa; azul el calzado; un fresco chaleco sobre la falda alegre.

Y al aparecer, ella tomó posesión de la habitación, de algo más. «Se llama María Sueños» repitió él. Inexorablemente creyó ver en su mirada un rasgo de Linda, y en su traje algo de la noche que había enamorado al adolescente muerto. Un olor lejano venía de la muñeca: ¿el pecho de Linda? La levantó; tan alta como una mujer. Jamás había conocido un regalo igual, jamás supo valorar los juguetes. ¿Qué podría hacer él para aceptar –dentro de su vida opaca y torpe– esa figura de vertiginosa belleza?

(1974)

EL VENCEDOR

¿Supo por fin que así era el mediodía? Había nacido casi ochenta años antes y algo imprecisable, cuando aún su vida era muy fresca, lo lanzó hacia ese territorio de sí mismo que nadie hubiera adivinado: ni él. Hoy, al encontrar en su viejo baúl de madera algunos documentos de identidad, postales y cartas borrosas, un recibo de quién sabe qué deuda, reconocí que también él había nacido como un bebé. Iba a ser el primer hijo de un matrimonio prolífico (y al parecer feliz). Cuatro hermanas y tres hermanos, él a la cabeza de todos. Intuyo que la relación con su padre fue íntima y pulcra, debió ayudarlo a crecer con exhaustiva minuciosidad.

Su padre era comerciante, y también él se inició en el vasto negocio de víveres, de mercancías generales. La población estaba al borde de una carretera principal, causa suficiente para que fuesen prósperos. Además, todos trabajaban con empeño. ¿Es una injusta impresión transmitida por mi madre o mucho le costó separarse del hogar paterno, venirse hacia esta población y fundar a la vez su hogar aquí? Mi madre juzgó como exageradamente posesivos y aprovechadores a los otros; la enfureció ver que miembros de esa familia intervenían en los asuntos de la pareja.

De ellos guardo memorias encantadoras; también yo era el primer hijo y los abuelos y los tíos querían llevarme hacia su poblado, tenerme consigo durante las vacaciones. Un recuerdo dura en esos días de juegos y afectos: ¿la recóndita negativa de mi madre para dejarme ir? ¿Se repetía con tal exceso de cuidados y de cariño lo que había pasado treinta años antes con él?

Hoy, al registrar y ordenar su viejo baúl, hallé también algunas fotografías. Ese hombre con traje claro; ese de corbata y bucles oscuros sobre la frente, es él. Nunca lo vi así. Mi memoria lo recoge por primera vez cuando ya habría pasado los cuarenta. (Tal vez verlo a diario, desde mi nacimiento, impidió que pudiera mirarlo realmente alguna vez.)

Y si allí se muestra guapo tiene que haber resultado atractivo para su esposa. Esa imagen corresponde al establecimiento de su hogar y del negocio propio. Es el período de viajes para la compra y venta de mercancía; los años en que se ausentó por dos o tres días de su casa (como no lo haría nunca más). ¿Tuvo también alguna otra mujer en el pueblo? Cómo me gustaría saber que en verdad pudo vincularse profundamente por un lapso, entregar su cuerpo y su afecto de forma total; cómo quisiera hallar el testimonio de que tuvo un amigo real, algo más que esos familiares obsequiosos y vagamente asomados en perspectiva. Pero no: creo que no hubo otro amor, aparte de la esposa, ni amigo alguno. Sus relaciones eran comerciales; su cordialidad con los hombres, dato de alguna operación. Volviendo al aura de mi pubertad (yo, que ahora soy un hombre mayor, como lo fuera él alguna vez), vislumbro que posiblemente fui un cofre perfecto para su afecto; y que él no lo abrió.

¿Quién produjo la escisión? Quizás existió siempre, en el influjo de los padres sobre el bebé. La mamá, tan ascética, tuvo hijos numerosos y algunos abortos; el padre, aunque hogareño, venía de una vida en las ciudades. Jamás lo escuché hablar de su adolescencia; y los años cercanos a él sólo me dejan impresiones de trabajo, de negocios. Claro que su pequeña casa comercial no manejaba centenares de miles, pero evidenciaba estabilidad. Debe haberse casado a los veintiuno; y siete años después hubo la primera gran fractura. Poca gente lo notó (su esposa sí, especialmente). Se encerró por días, sin hablar; no le importaba el destino del negocio. Su mujer se vio obligada a sustituirlo por primera vez: con soltura, con sorpresa, pienso, y también con decepción. Ella, de buena familia, no esperaba ese destino de tendera. Un mes después estaba recuperado. Para él debe haber sido enigmático ese viaje a la sombra, la sensación de extravío y desasimiento. ¿Qué pudo decirse cuando recuperó la capacidad de hablar, de hacer chistes, de volver con su mujer y los niños? ¿Qué guardaba en su conciencia de lo que había pasado? ¿O nada recordaba? Su esposa, a quien yo debería acusar de poca comprensión, lo atendió a su manera: consultando amigos, un brujo, un médico. En su descargo debo fijar que ella lo acompañó por casi treinta años.

A partir de ese descenso, la cosa se repitió cada dos o tres años. Él vivía con los suyos y en el poblado, en su negocio y su rutina, pero una amenaza podía devolver aquel mundo que lo castigaba, angustioso e hiriente. Recomenzaban entonces dos, tres semanas de incoherencias, de caprichos y peligros. El cuerpo de ese hombre

moral, simple y aún hermoso se perdía en una oscura iri-
sación del sufrimiento. ¿Se realizaba así una honda voluntad inconsciente o se trataba realmente de locura?
Querer vivir dándose y no poder; sentirse condenado a la
inexpresión, saberse derrotado ante cualquier variación
de la realidad; aspirar a un afecto absoluto y recíproco:
¿cuál de estos matices hacía irrumpir el mal?

Aquí en el baúl hay fotos más recientes: el rostro que
ya conozco: marcadas líneas desde la boca hacia la na-
riz, una leve calvicie, los ojos flotando en una sustancia
opaca y estrábica. Sé que en ese momento sus manos son
ya muy callosas y gruesas, que el pelo emblanquece y el
vientre se abulta un poco. Desde entonces en la voz que
habla roncamente, como regañando, y en los ojos que se
inclinan abotagados, estará aquello que realmente querrá
transmitirme: algo suyo, único e indecible. Sucederá cada vez que nos veamos durante los veinticinco años si-
guientes; por esa época reconozco su total incomunica-
ción conmigo (aunque habláramos tonterías, y mucho)
tal como había ocurrido con todos, incluso con él mismo
y su mujer. La fractura (¿o algo anterior?) lo había dejado en un lugar inaccesible, en un mundo donde el afecto no debía existir o ser expresado. O quizás en un territorio donde su inmensa, insatisfecha hambre de ternura
había sido estrictamente prohibida por terribles leyes.
¿Alguna vez acarició la cabeza de sus hijos, a quienes
amaba? No, todo quedaba en una orden, en una escasa
sonrisa, en una petición para el trabajo. ¿Veía en los hijos una amenaza, una prolongación de su propio horror?

Aparte de ciertas pequeñas manías (no probar medicinas, no comer mucha sal, evitar el licor) que imponía
a los demás, jamás lo escuché quejarse de enfermedad
alguna. Parecía físicamente sano, y lo estaba. Ni ocu-

rrieron las molestias prostáticas ni tuvo artritis. Todo lo decidió cercano a los ochenta, pero pudo haber vivido veinte años más.

Yo cambié ese poblado por las llanuras cuando cumplí diecisiete. Rechazaba las intervenciones de mi madre en nuestros destinos. Fui a estudiar y a trabajar en otra ciudad, y allí me quedé. Comencé a visitarlos una o dos veces al año, aunque les enviara una mensualidad fija.

Recibí el privilegio del equilibrio; tengo amigos, mujeres, hijos. Bailo y me divierto; sé comer con abundancia y beber libremente. Nada es más importante para mí que escuchar (y repetir) todos los chistes que el mundo inventa. Mi profesión también ha aportado seguridad y buen sueldo. Me convertí en todo lo opuesto a él.

Sin embargo, nunca olvidaré que durante una noche de adolescencia (¿estaba yo aún en su casa, cerca de él?) sentí que cuanto me rodeaba desaparecía: quedaba yo inmerso en una sólida presencia del mundo, pero sin que nada tuviera significado. Había vivido pocos años; viviría muchos más: y nada de eso tendría sostén en algún lugar de la realidad. Vivir era como un sueño frágil, obtuso, pungente. Aquel torbellino duró algunas horas; salí a la calle, caminé o corrí. Juré que nunca más soportaría algo igual. Supe que ese dolor era el llamado de la muerte, y que únicamente entregándome desaparecería. Cuando años más tarde, en la otra ciudad, reapareció ese sentimiento de vacío, opuse toda la fuerza de mi éxito en el sexo, en la oficina, en las casas amigas, para vencerlo. Luché durante toda una tarde, pero en la madrugada me venció ese impulso final, esa exacerbada tensión. Comencé a pensar en el suicidio.

La situación era clara: ni yo estaba loco ni repetía la conducta de mi padre. Me iluminaba un mundo de gustos, de alegría, también de pequeñas soledades. Tenía a la mano el teléfono y la solicitud de mis amigos; podía recurrir a una de esas compañeras que tanto me han dado. O ir al cine. No, yo no era un caso de aislamiento ni de excesivas relaciones públicas. Había conducido mi vida hacia el equilibrio. Iba a tener treinta años y todo estaba en orden. No eran los elementos del contorno la razón de mi caída; había algo a lo que no lograba acostumbrarme: a vivir. Y esa sensación quedaba ahogada por las dulces experiencias diarias, hasta que una pequeña grieta mostraba el abismo. Acepté que parte de vivir era el exhaustivo conocimiento de lo oscuro, de un absurdo ardor. Morir podía ser un deseo de emisión como la sexualidad. ¿Por qué no realizarlo?

Seis o siete años después del primer toque, la desesperación volvió tan clara, lógica y urgente, que salté de la cama a medianoche. No tenía que llamar a nadie ni buscar consuelo. Mi final era solamente mío. Recorrí la pequeña casa, aún saturada por el perfume de la mujer que había estado conmigo durante la semana. ¿Qué hacer, cómo concluir? En la cocina palpé la líquida punta de un cuchillo; pensé encender el auto y dispararme como ciego. Descubrí entonces los hicos de mi hamaca y la viga del cuarto de servicio. Tomé el mecate, rodeé el palo, hice el nudo y me aproximé. Un temblor de entrega me recorría. Sentí las hilachas en el cuello y estaba a punto de saltar desde la banqueta colocada a mis pies. Y de pronto la decisión se derrumbó; un escalofrío de cobardía, de temor, de regreso sin sentido para mí. Me quedé allí hasta el amanecer; la angustia se borraba, hasta podía recordar un chiste. Yo estaba de este lado, con la vida, aunque ya no pudiera apartar ni un día ese gusto reseco de morir.

Ya sabía que en la soledad del pueblo, en el acto de amar o recibiendo amistad, trabajando o caminando, siempre habría algo que superaría mi poder: la completud de la muerte.

Debí esperar hasta hoy, aquí junto al viejo baúl, para entender el mensaje que también él quería darme. Por motivos diferentes, por rutas alternas, ambos habíamos conocido la misma decisión. Él a través de la insania, del decaimiento psíquico; yo, a través de una vida vulgar. ¿Cuántas veces estuvo en sus ojos la pregunta? ¿Cuántas veces quiso decirme: cómo hacerlo, cómo cerrar este mundo? ¿De dónde sacar el valor para el instante definitivo? Muchas veces se devolvió. En nadie podía haberse apoyado para inquirir, sino en mí, su joya del afecto. Precisamente en mí: la única persona a quien no lo podía preguntar.

Lo hizo ayer al mediodía. Por fin alcanzó esa hora de plenitud. Puedo verte, mío; puedo verte como yo, esperando el lapso de absoluta soledad en la casa. Dejas que tu hija y sus empleados salgan al habitual, cercano restaurancito. Hora de almuerzo; el poblado reverbera en luz franca; nada significa peligro. Estás aislado, más aislado que nunca; o comunicado por primera vez con todo cuanto fue tu vida, cuanto hemos sido en ella sin tocarte. Tienes casi el entusiasmo de probar la pequeña viga del patio, de asegurar su resistencia; cortas un mecate raído de tu propio negocio. Vacilas mientras anudas: todo tu pasado vuelve y sabes que aún puedes recuperarte, vivir sano muchos años. Pero no, sabes que sólo estás sano en este momento. La vida volverá a golpear eso de tu espíritu que desconoces y que es el centro de tu pensamiento. Ya soportaste demasiado. Casi ochenta años rumiando la decisión, probando como en otras oportunidades. Has decidido esta vez. Pasas la gruesa cabuya por tu cuello; y esa impresión te hace llorar: estás niño, tan desamparado, tan absolutamente solo. Con un pequeño salto, una flexión, podrías interrumpir, volver al mediodía de afuera que se eleva como una flor. Pero el horror mismo te sacude y te impulsa: te lanzas, padre mío, en la muerte, en lo que fue tu deseo supremo. Eres ya el único acto que yo no pude realizar y que tú cumples magníficamente en este silencio con que te pienso.

SECRETO

Me dice Euclides Sánchez: «Cuando leo es como si yo estuviese dentro, pero sin ser visto».

(1962)

EL NIÑO HECHO DEL DÍA

1

–¿Y tú conoces el pueblo donde estábamos?

–Sí.

–¿Y sabes cómo se llama este, por donde vamos pasando?

–Sí.

–¿Y el próximo?

–Sí.

–¡Oye! ¿Por qué sólo contestas «sí»? ¿No sabes otra palabra?

Esto había dicho el niño a su abuelo dos años atrás y, como gratificado por la agudeza o el humor del chico, el abuelo rió con ganas.

Fue hace siglos: cuando él tenía siete. El abuelo conducía con rapidez y salían de la ciudad hacia una rara zona llena de árboles. Siempre habían estado juntos, con Hora. Pero para los paseos fuera de la ciudad iban solos. En verdad abuelo hablaba poco y se dedicaba a hacerle alguna que otra pregunta, a mostrarle cosas de la carretera y cada detalle del bosque, la casa o, más que nada, a escucharlo. ¡Cómo él, en cambio, le hablaba al abuelo! No podía parar de contarle sobre cuanto veía, las cosas de su escuela, de los amigos, del perro. El abuelo era confortable, como el auto en que paseaban.

Eso fue hace tiempo. Ahora el niño tiene nueve años. Y por eso debe ser listo y recordar o encontrar en los lugares adecuados la fórmula para hallar de nuevo a su abuelo, a mamá.

No sabe cómo despertó aquí, aunque muchas veces viniera al refugio con el abuelo.

–No es una casa, Álekos, es un refugio. Recuerda esta palabra.

Álekos es fuerte y activo. La piel tersa y los ojos claros bajo unas cejas nítidas que están siempre como oblicuamente levantadas. Mucho le costó aprender a leer, pero contó con rapidez y es un as con todo tipo de juegos electrónicos. Domina a sus amiguitos en ajedrez y barajas. También en deportes. Patina como un demonio y su bici vuela en su calle. Si sus potencias heroicas no se exhibían más, es porque mamá lo vigilaba.

Hoy, cuando Álekos despertó y se encontró aquí supuso que en seguida el abuelo aparecería. Pero nadie vino y entonces buscó galletas y refrescos. También afuera vio árboles con las frutas que le gustan. Dejó pasar las horas, tuvo sueño. Silbó, llamó, gritó. Se durmió por mucho tiempo. Luego familiarmente caminó alrededor del galpón, como hacía con el abuelo. Le pareció que el sol seguía siempre en el mismo sitio. Lloró entonces, mucho, hasta que se prometió no volver a hacerlo quizá porque sería una cobardía.

2

Esto otro fue también hace mucho tiempo.

En la gran ciudad el Doctor Relativo, su abuelo, se levantaba tan temprano que Álekos nunca lo vio por las mañanas sino ya en su estudio, como él decía.

—Yo tengo que estudiar, pero tu cuarto no estudia. ¿Por qué lo llamas así?

Había preguntado el niño esa mañana, tratando de estar a la altura. Abuelo explicó algo que no lo convenció. Álekos corrió hacia la computadora vieja, donde podía jugar sin molestar. El abuelo habló un momento con mamá, quien traía el desayuno para ambos y en seguida se concentró en la mesa de trabajo. Claro que el abuelo jugaba largamente con sus sellos electrónicos, pero de pronto venía a la mesa, como deseoso de asegurarse, de comprobar algo. Y entonces no se movía por un rato.

—Hace cálculos —le explicó mamá.

En esos momentos Álekos escapa silenciosamente; después el hombre iría a buscarlo con cariño. Entre este y su madre, Álekos disponía de un mundo completo. Por ejemplo, estaba seguro de que Hora era la mamá más bonita de su cuadra y de la escuela. Tenía el pelo levemente dorado, los ojos grises y transparentes, llenos de una inocencia y una dulzura tales que a veces a Álekos le costaba decirle algunas mentiras. Por ejemplo: «Déjame asomarme a la calle para ver el camión», cuando en verdad quería huir por un rato al parque inmediato donde podría estar Adolfito con su gato.

En cambio, del abuelo el niño quería imitar la frente pequeña y cubierta por tres surcos marcados que le daban un aire de preocupación o de chiste. El abuelo, alto, oloroso a lavanda, parecía un dibujo de sus juegos. Era muy flaco.

3

–Papá –dijo también Hora alguna vez, mientras bebían en una copa alta y fina–, este puede ser nuestro último año nuevo.

–Este o el otro. Ya de la luna no queda sino un núcleo bastante reducido. Lo demás son estructuras humanas que pueden ceder en cualquier momento y polvo denso.

–Y las estaciones espaciales que se extienden cada vez más.

–Pero sin solución. ¿Has visto a los que regresan de ellas? Parecieran idénticos a nosotros, pero carecen de afectividad. Todo es el éxito solitario, quién sabe para qué.

–Es curioso, ¿no? Los jefes comerciales siguen inventando nuevos productos y hasta estimulan y benefician la creación de jardines, de parques. No podemos negar que esta ciudad es bella. Pero al mismo tiempo su gobierno sólo se interesa en investigar, en explotar lo último que queda de la naturaleza.

–Hace más de un siglo que vivimos de química.

–¿Y por qué yo no he cambiado?

–¡Quién sabe! Tal vez predominó la manera como has vivido conmigo. Papá y mamá también lucharon para que yo pudiese alimentarme de ciertos recursos, como hice contigo y como haces tú con Álekos. A la gente no le interesa este problema. Consumen lo que está de moda.

Álekos entró a la sala luminosa con Brandor, el grueso perro negro. (Aunque el abuelo no hubiera podido estar seguro de que era realmente un perro.) El animal ladró y se refregó contra todos, luego se colocó mansamente en la puerta. Afuera la calle resplandece. Edificios bajos y casas. Sonidos de fiesta, gritos.

El niño hubiera querido hacer algunas preguntas a su mamá sobre las cosas que Brandor había hecho esa mañana, raras, como si fuese a enfermarse. Pero los adultos lo acariciaron, le dieron un poco de torta, y vino y se sentó con gusto a comer. Había olvidado su preocupación.

–También Juan se quedó en una de las estaciones –dijo de pronto Hora, pensando en el padre de su hijo.

–En el fondo es una suerte. Hemos podido educar al chico con mayor libertad.

La mamá más bella, seguida por los ojos de Álekos y por el rabo de Brandor, que acababa de levantarse, pareció ceder a un instante de añoranza y pulsó la pantalla de sonido, para elegir alguna melodía. Siempre la asombraba la sofisticación destructiva: junto a ríos secos, el gobierno mercantil conserva innumerables tesoros estéticos. Como lo que, al pulsar, comienza a escucharse: un madrigal amoroso de Monteverdi:

Con che soavità, labbra odorate,
E vi bacio, e v´ascolto;
Ma se godo un piacer, l´altro m´è tolto.

¡Cómo había gustado Hora de Juan! La estremecían su pecho ancho, la piel soleada, los muslos. Quizá él nunca alcanzó a comprender la magnitud de su valoración, aunque fueron buenos amigos y completos amantes. Cuando una vez explicó a Miga, su mejor compañera, algo de aquello ella abrió mucho los ojos y sonrió. No lograba comprender ese vínculo que significaba compañía, continuidad, soledad. Felizmente Juan y Hora habían sido amantes casi desde la adolescencia. Cuando el niño nació y él se fue a la expedición de Casiopeia, ya el sentimiento de Hora había disminuido o cambiado. Estaba Álekos.

–¿Una copa más, querida?

–Claro que sí, papá. Déjame decirte con humor que de nuevo puede ser la última de año nuevo.

–Tienes razón.

Álekos concluyó de comer y vino, saltando.

–Mamá, ¿mañana sí voy a tener dos papás?

Hora se inclinó y lo besó. Era una pregunta rutinaria, que el chico formulaba cada tantos meses. Sobre todo cuando había visto entrar a la casa de los vecinos algún hombre diferente.

–Ya lo pensaremos, hijo. Y nos pondremos de acuerdo.

Era verdad: las chicas de su edad podían tener varios esposos. Aunque para Hora siempre fue así, reconocía que esto era efecto de una estadística: casi todas las mujeres partían a misiones que duraban toda una vida. En la ciudad había cada año menos mujeres.

El niño tomó a Brandor por el collar y fueron a ver las luces artificiales en el cielo.

El Doctor Relativo acababa de servir champagne (o algo fascinante que lo parecía) otra vez. Las copas vibraban como destellos de vida. Sin embargo, su voz no fue segura ni optimista al hacer el segundo brindis.

–¡Por el milagro de los refugios! Al alto gobierno no le han importado estos socios que, alrededor del trópico, hemos creado pequeños bosques a la antigua. Deben considerarlo como un don de su amplitud. O tendrán en mente convertirlos en puntos turísticos. Como sea, hija, ¡hemos triunfado!

—¡Verdad que sí! ¡Por los refugios!

—Mañana volveré al nuestro con Álekos. Ya se ha familiarizado con cada detalle, sin que se haya dado cuenta. Y la Sociedad cuenta con siete chiquillos como él. Cuatro son niñas.

—¡Qué bien! ¡Qué buen acuerdo, papá!

Y se abrazaron.

4

Álekos despierta por segunda vez. Sobre sus ojos hermosos las cejas se suspenden con mayor inclinación. Mira su reloj y considera con sorpresa que debe haber dormido diez horas. Está en la grata cama del refugio, junto a la ventana. Afuera hay silencio y cantos de pájaros. Una salamandra se fuga por la pared.

Tiene nueve años y se ha prometido no llorar. Pero contrae el rostro involuntariamente, hasta que de pronto se ve reflejado en el cristal de un armario e intenta ser serio. Allí está el cuarto especial, tan cuidado por el abuelo. Parecido al estudio.

Tiene que encontrar a mamá o, por lo menos, a Brandor. Todo le es familiar. Enciende y apaga rápidamente el juego de ajedrez. Sabe cuantas cosas comestibles hay en el depósito, pero sólo toma un gordo pan relleno.

Comiendo se para en la puerta, ante el sendero que viene desde los palmares. El sol está en el mismo punto. No cree que mamá o el abuelo vayan a llegar tan pronto y entonces decide recoger la cantimplora, usar su bicicleta y dar una vuelta.

Ágilmente Álekos se desliza por el camino de tierra oscura. La brisa le mueve el pelo y tiene una sensación de libertad total. Nadie lo acompaña, nadie lo ve. Pensarlo le alegra, pero casi en seguida parece decaer. Se detiene para ver los juegos de los monos. Las hormigas suben por su zapato, las sacude y prosigue.

Es curioso, pero ante cada vuelta del sendero parece escuchar la voz del abuelo. ¿Una grabación? No, son conversaciones de otro momento.

«–Así está bien.

»–Mira cómo crece la mata de mango.

»–No, la fuente de agua debe estar limpia.

»–Sí.

»–Sí.

»–No olvides estudiar todos los días.

»–Te voy a retar con el ajedrez.»

El contorno se transforma en pequeños secretos compartidos. De algún modo, el abuelo lo acompaña. ¿Cuánto ha durado su paseo? Tres horas y veintiocho minutos con trece segundos. Debe volver.

A medida que avanza hacia el refugio el corazón acelera. ¡Ellos estarán allá! El sol no se ha movido y Álekos tiene la impresión, bajo los ramajes, de que él está hecho con su luz. Una luz que lo estimula y lo molesta.

5

¿Sabe Álekos que ahora tiene doce años? Claro que sí, diría él. Lo que no termina de comprender es su absoluta soledad.

Ha encontrado el documento del Doctor Relativo. Mejor dicho, siempre estuvo allí, junto a las películas de Hora y de Brandor, pero nunca se interesó en él. A su manera Álekos descifra algunos detalles. ¡Son tantos! Allí se dice que el Doctor Relativo y otros científicos supieron que había llegado el tiempo de la destrucción. Mientras la euforia tecnológica y erógena parecían hacer feliz cada instante en la vida de la gente, el planeta y sus alrededores ya no daban más. La hecatombe sería crucial.

Sin haberse visto nunca entre sí, ese círculo de hombres descubrió cómo sostener hectáreas de fauna y de vegetación alrededor de los trópicos. Concibieron casi descaradamente la idea de los refugios. Un milagro científico. Lo que podía sonar a excentricidad ante las autoridades globales era otra cosa.

El eje central del plan consistía en colocar secretamente dentro de esos jardines a un niño de gran inteligencia y equilibrio emotivo. Única esperanza. Un niño a miles de kilómetros de otro. Y la posibilidad de que al crecer pudieran encontrarse, aliarse. ¿Salvación para la especie? ¿Una utopía terrible? Había que hacerlo.

Algún día los niños despertarían en medio del refugio. Sin nadie más en la tierra. Alrededor todo sería desierto y muerte.

6

Álekos el muchacho llega a la frontera saludable del bosque donde vive. Da unos pasos sobre la roca helada y candente que desde allí se extiende infinitamente. Siente que afuera no hay aire. Se pregunta si realmente existirá alguien como él, más allá.

(San Rafael, 14 de febrero del 2000)

CALIGRAFÍA

Esas islas del Delta que sin duda contribuyen

a la inmovilidad de sus aguas

JUAN JOSÉ SAER

Ahora la dejo en su esplendor. Hace muchos años que hice construir esta habitación con su amplia terraza sólo para contemplarla. Y quiero mirarla hasta el final.

Mi primer contacto con ella está próximo al terror: prácticamente nací dentro de una embarcación, ya que el trabajo de mi padre consistía en recoger productos en muchos lados y llevarlos a la pequeña ciudad central.

La casa –esta misma donde ahora descanso, pero distinta, claro– nos recibía por las noches y durante los domingos; las horas restantes se iban en distribuir la mercancía. Estuve familiarizado con las aguas desde niño. Por eso mismo supe tempranamente que la presencia de un remolino tenía significados diversos y especiales: dirección de las aguas, poder absorbente, lanzamientos de la nave en sentido inesperado.

Así, de repente, cuando yo tenía seis años surgió un mínimo punto, ágil y giratorio, en medio del río. El vasto líquido parecía incapaz de frenar allí, pero lo hacía: algo se alteraba en su fondo y provocaba aquella delicada ondulación. Estaba asistiendo a su nacimiento y no lo sabía.

Cuando las grandes tempestades, cuando la lluvia interminable y cerrada hacían oscurecer todo, mi padre y sus ayudantes gritaban tratando de esquivar aquel punto. Podrían encallar o perder la propela. Yo percibía un alerta desconcierto y sentía asomar en ellos un raro miedo.

Miedo que se convirtió en terror una tarde cuando, en efecto, la curiara chocó contra algo que permanecía en el fondo. Los marineros venían confundidos y mi padre no supo maniobrar a tiempo. La embarcación se volteó, todas las cosas fueron arrastradas por la corriente y yo quedé, al nadar un poco, colocado suavemente sobre una superficie de arena.

Apreté los pies contra aquella cubierta nueva, tersa y extrañamente sólida, mientras alrededor el agua corría con fuerza agitando mi cuerpo. Los tres ayudantes y mi padre gritaban que me quedara quieto. Iban devolviendo la nave a su posición correcta y trataban de rescatar algunas cosas. La tormenta arreciaba y ya el sol no volvería.

Al susto siguió una sensación de bienestar: sumergido hasta el pecho, el inmenso río me envolvía con calidez, en contraste con el viento helado que cortaba la cara. Movía los brazos como si nadara, inmóvil, porque la corriente parecía desplazarme. Y en los pies, aquella fugitiva seguridad de la arena. Pero pasadas algunas horas la dirección de la corriente cambió: el río comenzaba la llenante.

Primero de manera lenta y luego rápidamente la arena comenzó a escapar de mis pies. Todos trabajaban con prisa en medio de la penumbra y la lluvia. Y entonces comprendí que las aguas me taparían, me llevarían sin que nadie lo advirtiera: el río crecía, la corriente me empujaba, quedaba sin piso. Con agua en la boca, creí llamar y fue inútil.

De repente una linterna alumbró, con esfuerzo levanté la mano y fui alzado hacia la embarcación que, por azar, nos auxiliaba.

Al final de la infancia y durante toda la juventud volví a ese lugar y a esa sensación de la arena escapando. Fui al comienzo con mis hermanos, después con amigos. Más tarde con mi mujer y mis hijos.

Pero aquel primer contacto de la mirada: el remolino anunciando, en vez de un abismo, tierra que crecía, y el de mis pies con la arena, me confirmó lo que escuché decir a todos: en medio del vasto río, justo frente a la casa de mi padre, estaba saliendo una isla.

En efecto, las arenas que aparecían brillando bajo el sol y que desaparecían cuando subía la marea, terminaron por quedarse al descubierto: superficies doradas que se levantaban como suaves lomas o que se hundían como pozos internos: hondonadas y elevaciones rodeadas de peces. Un día se quedó varado el tronco de un árbol, otro aparecieron hierbas delgadas. De repente un brote de hojas en la parte más oscura del suelo, que ya parecía tierra.

Cuando concluía mi pubertad, un pequeño bosque bordeaba la extensión de la playa. Tal vez fue en esos meses cuando realmente comenzaron a llamarla isla y cuando dentro de su vegetación confirmé, con exuberancia, el poder viril de mi joven cuerpo. Al arrojar el semen sobre sus grietas, antes de que una muchacha también lo recibiera, acostada en ese musgo, sentí que un vínculo definitivo nos unía.

Fui a trabajar a otras regiones. Me ausenté por algunos años hasta que también pude volver y establecer un pequeño negocio de informática, en la ciudad próxima. Desde mi casa de siempre (muertos ya mis padres, idos a la capital mis hermanos) nunca omití mi regreso a aquellas playas, que ahora parecían pequeñas, una leve cinta entre el agua y la tierra, porque la isla se levantaba, poderosa y visible.

El paisaje y la zona cambiaron. Prueba de eso ha sido mi productivo trabajo. En las largas riberas han aparecido otras poblaciones. Autos y gente desconocida transitan por cada rincón. La selva parece haberse alejado. Y sin embargo, la isla sigue en medio del río vastísimo como una señal desafiante. Quizá la proteja lo desmesurado del río. Me pregunto a veces cómo pudo elegir el lugar donde iba a formarse, aunque sé que en el delta siempre está creciendo una isla.

Tal vez no sea yo todavía un hombre completamente viejo. Mi mujer murió y nuestros hijos abandonaron la región. Aparte del encanto con que me envuelve este clima cálido, un misterio secreto me une a la isla. ¿Cuántos hombres han visto nacer alguna? ¿Están conscientes de ese hecho quienes lo han vivido? Creo que mi destino era ser fiel a su presencia: verla, conocerla, explorarla, guardarla en la memoria como una fantasía más extraordinaria que la realidad.

Ignoro cuándo comprendí que había nacido para eso. Y me quedé aquí. Reformé mi vieja casa para tenerla siempre enfrente. Adivino sus matices, su zoología, sus cambios de vegetación. Es una esposa cambiante, inmóvil y enigmática. Nada suyo me pertenece, pero nada es ajeno. En ocasiones he creído sentir que ella reconoce mi existencia.

Hace un año, visitándola, encontré que el río había horadado algunos de sus bordes. Nada extraño en barrancos deltaicos. Excepto que en esos días había soñado por primera vez con mi muerte, con mi ausencia.

Soñé que alguna vez el delta moverá sus aguas y sus tierras. Que esta isla desaparecerá en el tiempo inmenso.

Ahora, cuando sé que me iré, cuando me adelanto a morir, la dejo en su esplendor. Esta tarde la veo entregarse al crepúsculo y todo refulge en mi corazón.

(Marzo-abril del 2003)

Este libro se terminó
de imprimir en septiembre de 2004